# PODER
# SILENCIOSO

# PODER
# SILENCIOSO

As Capacidades Secretas dos Introvertidos

## SUSAN CAIN

com GREGORY MONE e ERICA MOROZ

ilustrações de GRANT SNIDER

**TEMAS E DEBATES**
Círculo de Leitores

ISBN 978-989-644-407-5

Título original: *Quiet Power – The Secret Strengths of Introverts*
Autora: Susan Cain
Copyright do texto © 2016 by Susan Cain
Copyright das ilustrações © 2016 by Grant Snider
Tradução: José Roberto (João Quina Edições)
Revisão: Pedro Ernesto Ferreira
Pré-impressão: ARD-Cor
Execução gráfica: Bloco Gráfico Lda., Unidade Industrial da Maia

1.ª edição: junho de 2016
ISBN (Temas e Debates): 978-989-644-407-5
N.º de edição (Círculo de Leitores): 8104
Depósito legal número 408 547/16

Temas e Debates – Círculo de Leitores
Rua Prof. Jorge da Silva Horta, 1
1500-499 Lisboa
www.temasedebates.pt
www.circuloleitores.pt

Para Gonzo, Sam e Eli,
com todo o meu amor.

S. C.

# SUMÁRIO

# UM MANIFESTO PARA

→ 1. Um temperamento tranquilo é um superpoder invisível.

→ 2. Há uma palavra para as pessoas que estão demasiado
   concentradas: ponderadas.

→ 3. Muitas das grandes ideias resultam da solidão.

→ 4. Podes expandir-te como um elástico. Podes fazer tudo
   o que um extrovertido faz, incluindo subir à ribalta.
   Mais tarde haverá sempre tempo para o silêncio.

→ 5. Mas mesmo que ocasionalmente precises de te expandir,
   quando acabares deves regressar ao teu verdadeiro eu.

# INTROVERTIDOS

→ 6. Dois ou três amigos íntimos significam mais
do que cem conhecimentos (embora os conhecimentos
também sejam ótimos).

→ 7. Os introvertidos e os extrovertidos são o *yin* e o *yang* –
amamo-nos e precisamos uns dos outros.

→ 8. Não há mal em atravessar a sala para evitar conversas
banais.

→ 9. Não é preciso ser chefe de claque para liderar.
Basta pensar em Mahatma Gandhi.

→ 10. Por falar em Gandhi, ele disse: «Docilmente podemos
agitar o mundo.»

# PODER
# SILENCIOSO

# INTRODUÇÃO

«Porque estás tão calada?»

Esta é a pergunta que amigos, professores, conhecidos, até pessoas que mal conheço sempre me fazem. Muitos fazem-na bem-intencionadamente. Querem saber se eu estou bem, se há alguma razão para eu me manter silenciosa. Alguns lançam-me a pergunta de uma maneira que me faz crer que eles pensam ser um pouco estranho eu estar durante algum tempo sem proferir palavra.

Nem sempre tenho uma resposta óbvia para esta pergunta. Por vezes estou calada porque estou no meio de um pensamento ou de uma observação. Outras vezes concentro-me mais em ouvir do que em falar. No entanto, com frequência, estou em silêncio porque sou assim, simplesmente. Calada.

Na escola, sempre me pareceu que ser «sociável» era o maior elogio que uma pessoa podia obter. Nas aulas, os meus professores pediam-me frequentemente para falar mais. Nos bailes da escola eu ia para o salão de baile com os meus amigos, mas se dependesse de mim, teríamos simplesmente ficado a conviver em casa de um de nós. Frequentava as festas ruidosas cheias de gente na faculdade, mas não conseguia livrar-me da sensação que seria muito mais divertido para mim jantar com uma ou duas amigas e depois ir ao cinema. Todavia, nunca me queixei disso. Sempre pensei que se esperava que eu fizesse essas coisas para ser considerada «normal».

Ao longo daquele período, criaria uma pequena mas forte rede de amigos íntimos e colegas. Nunca me preocupou realmente se alguém era popular ou não, o que significava que alguns dos meus amigos eram «calmos» e outros não. Graças à minha preferência por conversas em tom mais íntimo, as minhas amizades foram alicerçadas na mútua confiança, no prazer recíproco pela companhia de cada um, e no amor. Pouco tinham a ver com grupos fechados ou concursos de popularidade. As pessoas começaram a apreciar-me pela ponderação das minhas perguntas, pela minha aptidão de pensar com independência e pela minha abordagem calma em situações de tensão. Felicitavam-me por ser profundamente refletiva e uma ouvinte atenta. Também começaram a *escutar-me*. Repararam que quando eu falava era porque tinha alguma coisa sensata para dizer. E quando passei para o mundo do trabalho, o tipo de pessoas ousadas e faladoras que antes me intimidavam começaram a oferecer-me empregos!

À medida que o tempo foi passando, tomei consciência que a minha abordagem tranquila da vida foi desde sempre um grande poder. Era uma ferramenta que eu precisava de aprender a usar. Olhei à minha volta e vi que muitos dos grandes contributos para o mundo – do computador *Apple* a *O Gato do Chapéu* – provinham de introvertidos, graças aos (e não apesar dos) seus temperamentos tranquilos. Coligi as minhas ideias num livro para adultos intitulado *Silêncio, o Poder dos Introvertidos Num Mundo Que não Para de Falar*. Chegou à lista de livros mais vendidos do *The New York Times* e lá ficou durante anos, e foi traduzido em mais de quarenta idiomas. Milhares e milhares de pessoas disseram-me que esta simples ideia – de que a sua abordagem tranquila, se usada corretamente, é uma força poderosa – na verdade mudou as suas vidas. Tocou-as de maneira que eu jamais poderia imaginar.

Em breve estava a fazer coisas que me pareciam impossíveis quando era mais jovem. Quando frequentava o ensino secundário, por exemplo, tinha horror a falar em público. Sempre que tinha de fazer a apresentação de um resumo de qualquer livro, na noite anterior não conseguia dormir. Uma vez estava de tal modo aterrorizada que fiquei imóvel frente a toda a turma e nem sequer consegui abrir a boca. Hoje, como defensora das pessoas introvertidas, apareço nos ecrãs de todo o mundo e profiro conferências a audiências de milhares de pessoas. Fiz uma palestra TED sobre a introversão que se tornou uma das conferências TED mais vistas de todos os tempos, com muitos milhões de visualizações. («TED» significa tecnologia, entretenimento e *design*, e é o nome de uma organização que realiza conferências em que as pessoas partilham grandes ideias.)

Inspirada por estas experiências, cofundei a Quiet Revolution, uma organização não lucrativa cujo objetivo é capacitar introvertidos de todas as idades. Quero que nós, os seres tranquilos, sintamos que podemos ser nós mesmos em qualquer lugar – na escola, no trabalho e na sociedade em geral. A Quiet Revolution advoga a mudança e dá força às nossas vozes de introvertidos. O movimento é inclusivo – *qualquer pessoa* pode juntar-se a nós, independentemente de ser silenciosa ou comunicativa. Incentivo-te a participares em Quietrev.com!

Há pessoas que frequentemente me perguntam se me transformei numa extrovertida, agora que me sinto tão bem na pele de oradora pública e comentadora na comunicação social. Mas não mudei em nada do que é fundamental ao longo dos anos. Às vezes ainda me sinto tímida ou reservada. E adoro a minha maneira de ser silenciosa e ponderada. Compreendi e adotei o poder do silêncio – e tu também podes fazê-lo.

Muitos dos meus leitores disseram-se que gostariam de ter ouvido falar da Quiet Revolution quando eram jovens, ou quando eram pais a educar os seus próprios filhos introvertidos. E também ouvi jovens que desejavam que houvesse uma versão do *Silêncio* só para eles.

É por isso que este livro aparece.

# AFINAL, O QUE É UM INTROVERTIDO?

Há um termo da psicologia para pessoas como eu. Somos chamados os introvertidos e não há uma forma simples para nos definir. Apreciamos a companhia dos outros mas também gostamos de passar algum tempo sozinhos. Podemos ter grande à-vontade social e também mantermo-nos recolhidos e reservados. Somos observadores. Podemos escutar mais do que falamos. Ser introvertido é ter uma vida interior profunda e considerar que ela é importante.

Se um introvertido é alguém introspetivo, um extrovertido é exatamente o contrário. Os extrovertidos prezam os grupos e ganham energia por estarem com outros.

Mesmo que não sejas um introvertido, é provável que haja alguns no seio da tua família ou no teu círculo de amigos. Os introvertidos constituem entre um terço a metade da população – ou seja, uma em cada duas ou três pessoas que conheces. Por vezes somos fáceis de reconhecer. Somos os que estamos enrolados no sofá com um livro ou um iPad nas mãos em vez de rodeados por pessoas. Em festas com muitos convidados podes encontrar-nos a conversar com uma mão--cheia de amigos, mas definitivamente nunca a dançar sobre a mesa. Nas aulas, por vezes parecemos ausentes quando o professor procura voluntários. Estamos a prestar atenção, mas preferimos acompanhar tudo em silêncio e dar o nosso contributo quando estivermos prontos.

Em outras ocasiões, nós, os introvertidos, somos muito hábeis a esconder a nossa verdadeira natureza. Podemos passar despercebidos nas salas de aulas e nos refeitórios das escolas, participando na algazarra quando no fundo mal podemos esperar para fugir ao ajuntamento e ter algum tempo só para nós. Desde que publiquei o meu livro, fui surpreendida pelo modo como muitas pessoas, aparentemente extrovertidas – incluindo atores, políticos, empresários e atletas –, me «confessaram» que também eram introvertidas.

Ser introvertido não significa necessariamente ser-se tímido. Esta é uma distinção importante. Os introvertidos *podem ser* tímidos, com certeza, mas também existem alguns extrovertidos tímidos. O comportamento tímido pode parecer introversão – faz com que as pessoas pareçam silenciosas e reservadas. Tal como a introversão, a sensação de timidez é complicada; é coberta por muitas camadas. Pode resultar de nervosismo, ou de insegurança quanto ao ser aceite pelos outros. Pode resultar do medo de fazer algo errado. Na sala de aula, um estudante tímido pode não erguer a mão por estar preocupado por poder dar uma resposta errada e sentir-se embaraçado. A rapariga introvertida, sentada ao seu lado, também pode não levantar a mão, mas por razões diferentes. Talvez ela não sinta a necessidade de participar. Ou pode estar muito concentrada a escutar e a processar tudo para sequer falar. Tal como a introversão, a timidez tem as suas vantagens. Há estudos que mostram que os jovens tímidos tendem a manter amizades leais, são aplicados, empáticos e criativos. Tanto os tímidos como os introvertidos dão excelentes ouvintes. E é escutando que passamos a ser melhores a observar, aprender e amadurecer.

Este livro é tanto sobre a introversão como sobre a timidez – e sobre as vantagens que ambas as qualidades te proporcionam. Acontece que eu sou uma introvertida e uma pessoa naturalmente tímida (embora com o tempo tivesse passado a sentir-me menos tímida). Mas tu podes ser apenas uma das duas coisas. Aproveita as partes do livro que te são aplicáveis e não te preocupes com o resto.

## ÉS INTROVERTIDO, EXTROVERTIDO OU AMBIVERTIDO?

A psicologia é o estudo do comportamento humano e da mente humana e das suas funções. Evidentemente, a mente de cada pessoa tem a sua própria rede de ligações, mas todas seguem sensivelmente o mesmo esquema, e há uma grande sobreposição entre todos nós. Carl Jung, um famoso psicólogo do século xx, introduziu os termos «introvertido» e «extrovertido» como forma de descrever diferentes tipos de personalidade. Jung era, ele próprio, um introvertido e foi o primeiro a explicar que os introvertidos são arrastados para o mundo interior dos pensamentos e sentimentos, enquanto os seus opostos, os extrovertidos, anseiam pelo mundo exterior de pessoas e atividades.

Claro que até Jung disse que ninguém é totalmente introvertido ou extrovertido. Estes traços existem naquilo a que se chama um espectro. A melhor maneira de compreender um espectro é imaginar uma régua muito comprida. Digamos que existem extrovertidos extremos numa ponta da régua e introvertidos extremos na outra ponta. Há pessoas que encaixam no meio – os psicólogos chamam-lhes os «ambivertidos» – mas mesmo aqueles que tendem para uma das duas metades da régua são, ainda assim, um pouco de uma mistura. Muitos introvertidos dizem que, quando estão com amigos íntimos ou discutem um assunto interessante, agem mais como extrovertidos. E por muito que os extrovertidos gostem de estar rodeados por pessoas, muitos deles também precisam de algum tempo para se descontrair.

Antes de avançarmos mais, aqui está a oportunidade de verificares em que zona do espectro introvertido-extrovertido te encaixas. Não há aqui respostas certas ou erradas. Escolhe simplesmente «verdadeiro» ou «falso» com base naquilo que melhor se te aplica.

◆ Prefiro passar o tempo com um ou dois amigos em vez de estar num grupo.

◆ Prefiro expressar as minhas ideias através da escrita.

◆ Gosto de estar sozinho.

◆ Prefiro conversas mais sérias do que banais.

◆ Os meus amigos dizem-me que sei ouvir.

◆ Prefiro as salas de aula pequenas às grandes.

◆ Evito conflitos.

◆ Não gosto de mostrar o meu trabalho aos outros até ele estar terminado.

◆ Trabalho melhor sozinho.

◆ Não gosto de ser chamado nas aulas.

- Sinto-me cansado depois de sair com amigos, mesmo quando me divirto.
- Preferia celebrar os meus aniversários com poucos amigos e família do que ter uma grande festa.
- Não me preocupam os grandes projetos independentes na escola.
- Passo muito tempo no meu quarto.
- Normalmente não corro grandes riscos.
- Posso mergulhar num projeto, praticar um desporto ou tocar um instrumento, ou envolver-me em algo criativo durante horas seguidas, sem me aborrecer.
- Tenho a tendência de pensar antes de falar.
- Prefiro escrever uma mensagem SMS ou um *email* do que falar ao telefone com alguém que não conheço muito bem.
- Não me sinto totalmente confortável quando sou o centro das atenções.
- Normalmente, gosto mais de fazer perguntas do que dar respostas.
- As pessoas descrevem-me frequentemente como alguém que fala baixo ou com timidez.
- Se tivesse que escolher, preferia um fim de semana sem absolutamente nada para fazer a um com demasiadas coisas agendadas.

* Este é um questionário informal e não um teste de personalidade cientifica-mente validado. As perguntas foram formuladas com base nas características da introversão geralmente aceites por investigadores contemporâneos.

Quantas mais vezes respondeste «verdadeiro», maior probabilidade terás de ser introvertido. Se respondeste «falso» mais vezes, é provável que sejas mais extrovertido. Se as respostas «verdadeiro» e «falso» forem em igual número, provavelmente és um ambivertido.

Seja qual for o lado para que te inclinas, tudo está bem. A chave para uma vida confortável é conhecermos as nossas preferências. Alguns indivíduos são realmente «introvertidos natos» ou «extrovertidos natos», e traços de personalidade como a introversão e a extroversão podem ser transmitidos de geração em geração. Todavia, os nossos genes não decidem tudo. Mesmo que te vejas como um ou como outro, a tua personalidade e atitude não são feitas de pedra; tens muito espaço para as moldar e desenvolver com o tempo. Alguém que nasceu com um temperamento extremamente tímido e tranquilo não irá crescer para atuar em estádios como Taylor Swift, mas muitos de nós podemos até certo ponto expandir--nos, tal como um vulgar elástico pode esticar-se com bastante flexibilidade (até um certo ponto).

Reconhecer que tipo de situações te confere domínio e à-vontade pode dar-te o sentido de controlo. Então poderás fazer as escolhas com base naquilo que sabes funcionar bem para ti. Podes realizar as atividades que te fazem sentir cómodo e sair da tua zona de conforto quando achares que vale a pena, para bem de um projeto ou de uma pessoa que estimas. Para mim, nunca é de mais salientar como é revigorante viver desta maneira; por isso voltaremos a este assunto ao longo do livro. É bom sentir o reconhecimento daqueles que te rodeiam – pessoalmente ou até *online* – mas o reconhecimento mais importante tem de vir do teu próprio ser.

## OS EXTROVERTIDOS TAMBÉM SÃO ÓTIMOS

Com frequência a sociedade ignora os introvertidos. Idolatramos os faladores e os que procuram as luzes da ribalta, como se fossem modelos que todos deveriam imitar. Chamo a isto o ideal extrovertido, que corresponde à convicção de que todos deveríamos ser rápidos a pensar, carismáticos a correr riscos e preferir a ação à reflexão. O ideal extrovertido é aquilo que te pode fazer sentir como se houvesse algo de errado contigo porque quando estás no meio de um grande grupo não estás no teu melhor. É uma força sobretudo poderosa na escola, em que os jovens mais faladores e ruidosos são frequentemente os mais populares e os professores premeiam os alunos que são ávidos por erguer a mão na aula.

Este livro questiona o ideal extrovertido – mas isso não significa que questione os próprios extrovertidos. A minha melhor amiga, Judith, é uma *socialite* que desde a escola primária tem estado no centro do «grupo dos populares». Ken, o meu querido marido, é do género encantador/dominador que tem sempre histórias interessantes para partilhar num grupo. Gosto de Judith e de Ken em parte *porque* eu e eles somos diferentes e nos complementamos. Eles identificam forças em mim que eles próprios não têm (ou não têm tanto como gostariam de ter), e eu sinto exatamente o mesmo em relação a eles.

Na realidade nunca será suficiente o que conseguir dizer acerca do *yin* e o *yang* dos dois tipos de personalidade. Quando nos reunimos, somos muito melhores do que a simples soma das nossas duas partes. Eu e o meu marido costumamos usar uma expressão mexicana para descrever isto: «*juntos somos más*», isto é, «juntos somos mais».

No entanto, por muito que goste dos extrovertidos, quero dirigir o foco sobre o que se sente quando se é silencioso – e mostrar quão poderoso pode ser o silêncio. Não foi por obra do acaso que muitos dos grandes artistas, inventores, cientistas, atletas e empresários da história foram introvertidos. Quando criança, Mahatma Gandhi era tímido e tinha medo de tudo, especialmente de outras pessoas; costumava ir a correr para casa depois da escola assim que ouvia o toque de saída, para evitar o convívio com os seus colegas de turma. Mas cresceu para liderar a Índia na conquista da sua liberdade, sem alterar a sua natureza fundamental. Travou as suas batalhas através de protestos pacíficos, não violentos.

O jogador mais pontuado de todos os tempos da NBA (National Basketball Association), Kareem Abdul-Jabbar, executava o seu «gancho do céu» perante milhares de pessoas nas noites dos jogos, mas não apreciava nem as multidões, nem a atenção. Adorava ler livros sobre história e descrevia-se a si mesmo como um cromo que por acaso é bom no basquetebol. Também usava o seu tempo em silêncio para escrever e publicou tanto romances como memórias.

Então e Beyoncé? Podes conhecer este ícone pelos seus espetáculos de lotações esgotadas em estádios de todo o mundo. Ou pelos seus vídeos musicais que, no seu conjunto, obtiveram mais de mil milhões de visualizações no YouTube. Mas apesar de Beyoncé ter crescido a atuar desde tenra idade, descreve-se a si mesma como uma criança introvertida. Presentemente, a sua confiança inspira os seus fãs em todo o mundo – mas isso não significa que tenha abandonado os seus modos silenciosos e observadores. «Sou uma boa ouvinte e gosto de observar, e por vezes as pessoas pensam que isso é ser tímida», afirmou em tempos.

A talentosa atriz Emma Watson é também uma tímida introvertida. «A verdade é que sou uma pessoa introvertida, genuinamente tímida, socialmente desajeitada», diz Emma. «Numa grande festa... o estímulo para mim é excessivo e é por isso que acabo por procurar refúgio na casa de banho! Preciso de intervalos... Sou terrível em conversa fútil... Sinto uma grande pressão quando conheço novas pessoas porque tenho consciência das suas expectativas. O que não quer dizer que, quando estou num pequeno grupo e entre os meus amigos, não adore dançar e ser extrovertida. Sou simplesmente muito contida em público.»

Misty Copeland foi considerada uma «bailarina improvável». «Como muitos atletas, comecei a treinar desde muito cedo, mas não tão cedo como a maioria das bailarinas, que frequentemente começam com a idade de quatro anos!» Com a timidez dos seus treze anos, Misty pensou que a sua audição no ensino básico para o grupo de dança fora um fiasco.

Mas apesar de ser muito silenciosa, não passou despercebida. A sua força e o seu talento eram inegáveis, e a sua capacidade de observar e se concentrar em coreografias complexas era única para alguém da sua idade. Naquele dia foi nomeada líder do grupo de dezasseis raparigas, acabando por vir a guiá-las no seu caminho para o *ballet*. Em 2015 tornou-se a primeira bailarina negra na história do American Ballet Theatre.

Albert Einstein é outro conhecido introvertido. Quando criança, a sua preferência pela aprendizagem independente causou-lhe por vezes alguns problemas. Quando tinha dezasseis anos, não conseguiu ser apurado para um exame de admissão em parte por não dedicar tempo suficiente ao estudo de todas as matérias e concentrar-se apenas naquelas que mais lhe interessavam. No entanto, mais tarde, aprendeu a dosear os seus intensos períodos de trabalho solitário com pequenas reuniões sociais. Pelos seus vinte anos, fundou a Akademie Olympia, uma tertúlia que reunia alguns dos seus amigos mais chegados para discussão das ideias que desenvolvia nas longas horas em que estava sozinho. Quando atingiu os vinte e seis anos de idade, Einstein rescreveu completamente as leis da física. Com quarenta e dois anos foi galardoado com o Prémio Nobel.

Nas páginas seguintes, irás conhecer jovens tranquilos que se destacaram em atividades tradicionalmente introvertidas, como a escrita e a arte. Também conhecerás introvertidos que são dirigentes associativos escolares, oradores públicos famosos, atletas, atores e cantores. Estes papéis podem não parecer adequados para jovens tranquilos e silenciosos – e, em muitos casos, os jovens que te irei apresentar, de início, também estavam renitentes em desempenhá-los. Mas a paixão pelo seu trabalho motivou-os a avançar. Este tipo de paixão determinada é uma característica comum de muitos introvertidos – espero que com o tempo (não tem que acontecer imediatamente) possas identificar a tua!

Através das histórias e experiências de outros jovens como tu, abordo questões com que os introvertidos frequentemente se debatem. Como se conquista um lugar próprio, enquanto pessoa silenciosa? Como se pode assegurar não ser ignorado? Como se fazem novos amigos quando parece difícil reunir a confiança suficiente para ser conversador?

Neste livro iremos falar sobre as maneiras como nós, os introvertidos, nos relacionamos com os outros à nossa volta – com amigos, família e professores. Iremos falar sobre como perseguimos os nossos interesses e passatempos. E iremos ainda falar sobre as formas como nos relacionamos com os nossos egos, enquanto indivíduos. Espero que através deste livro aprendas a aceitar-te e a apreciar-te – tal como és. O mundo precisa de ti, e há tantas maneiras de fazer com que o teu estilo silencioso se faça ouvir.

Pensa neste livro como um guia. Não vou ensinar-te como podes transformar-te noutra pessoa. Pelo contrário, vou ensinar-te a usar as maravilhosas qualidades e aptidões que *já* possuis. E depois... prepara-te, mundo!

# PRIMEIRA PARTE
# ESCOLA

## Capítulo Um
# EM SILÊNCIO NO REFEITÓRIO

Quando tinha nove anos, convenci os meus pais a deixarem-me passar oito semanas num campo de férias de verão. Os meus pais estavam céticos, mas eu estava em ânsias para lá chegar. Tinha lido muitos romances passados em campos de férias à beira de lagos e florestas, e parecia-me bastante divertido.

Antes de partir, a minha mãe ajudou-me a encher a mala de viagem com calções, sandálias, fatos de banho, toalhas e... livros. Muitos, muitos e muitos livros. Isto para nós fazia todo o sentido; ler, para a minha família, era uma atividade de grupo. Nas noites de fim de semana, os meus pais, irmãos e eu sentávamo-nos na sala de estar e mergulhávamos nos nossos romances. Não havia muita conversa. Cada um de nós seguia a sua aventura ficcional, mas à nossa maneira partilhávamos conjuntamente este tempo. Por isso, quando a minha mãe pôs os livros na mala, imaginei que o mesmo tipo de experiência no campo de férias só podia ser melhor.

Conseguia imaginar-me e a todas as minhas novas amigas na nossa cabana: dez raparigas com camisas de noite iguais a lerem juntas alegremente.

Mas estava-me reservada uma grande surpresa. O campo de férias viria a revelar-se exatamente o oposto do tempo tranquilo passado com a minha família. Era muito mais como uma longa e turbulenta festa de aniversário, e eu não podia sequer telefonar aos meus pais para me levarem para casa.

Logo no primeiro dia no campo, a nossa monitora reuniu-nos. Em nome do espírito do campo, disse ela, ia demonstrar uma saudação que devíamos fazer todos os dias até ao fim do verão. Movendo os braços como se estivesse a correr, a monitora cantarolou:

*R-O-W-D-I-E,*
*THAT'S THE WAY*
*WE SPELL ROWDY,*
*ROWDIE! ROWDIE!*
*LET'S GET ROWDIE!**

Terminou com ambas as mãos no ar, palmas voltadas para a frente, e um enorme sorriso no rosto.

Bom, isto *não* era o que eu esperava. Eu já estava entusiasmada por estar no campo – qual era a necessidade

---

* Neste cântico, semelhante aos das claques escolares e desportivas, que incentiva a exteriorização sonora de um sentimento de companheirismo, joga-se com a palavra *rowdy* («barulhento») e com a forma de a soletrar diferentemente (*r-o-w-d-i-e*). (N. do T.)

de exteriorizar tanto barulho? (E porque tínhamos de soletrar a palavra incorretamente?) Não sabia o que pensar.
Desportivamente, participei no cântico e depois arranjei
um tempo de intervalo para pegar num dos meus livros e
começar a ler.

No entanto, mais tarde, nessa semana, a rapariga mais
simpática da cabana perguntou-me por que estava eu sempre a ler e era tão «sossegada» – sendo sossegada o oposto
de B-A-R-U-L-H-E-N-T-A. Olhei para o livro que tinha nas
mãos e depois em volta pela cabana. Não havia mais ninguém sentado a ler. Todas se riam e faziam jogos batendo as
mãos, ou então corriam lá fora sobre a relva com jovens de
outras cabanas. Então, fechei o meu livro e guardei-o junto a
todos os outros, na minha mala. Sentia-me culpada enquanto
aconchegava os livros na mala debaixo da cama, como se eles
precisassem de mim e eu estivesse a abandoná-los.

Durante o resto do verão gritei o cântico *ROWDIE* com o
maior entusiasmo que conseguia. Todos os dias balouçava os
braços e sorria rasgadamente, dando o meu melhor para me
aproximar de uma campista gregária e animada. E quando
as férias terminaram e finalmente voltei para os meus livros,

senti algo diferente. Era como se, na escola e até com as minhas amigas, a pressão para ser barulhenta ainda estivesse largamente presente.

Na escola primária, conhecia toda a gente desde o jardim de infância. Eu sabia que era profundamente tímida, mas sentia-me bem assim e houve até um ano em que fui a estrela de uma peça de teatro escolar. Porém, no ensino básico tudo mudou, quando passei para o novo sistema escolar onde não conhecia ninguém. Eu era a garota nova num mar de estranhas tagarelas. A minha mãe levava-me de carro à escola porque ir no autocarro com dezenas de outros jovens era demasiado opressivo para mim. Os portões da escola mantinham-se fechados até ao primeiro toque, e quando eu chegava cedo tinha de esperar no parque de estacionamento, onde se amontoavam grupos de amigos. Todos eles pareciam conhecer-se e estar perfeitamente à vontade. Para mim, aquele parque de estacionamento era um verdadeiro pesadelo.

Por fim, a campainha tocava e nós entrávamos à pressa. Os corredores eram ainda mais caóticos do que o parque de estacionamento. Havia jovens a correr em todas as direções, movimentando-se pelo átrio como se fossem os donos do lugar, e grupos de rapazes e raparigas trocavam histórias e riam furtivamente. Eu procurava encontrar um rosto que fosse vagamente conhecido, interrogava-me se devia dizer «Olá!», e depois seguia o meu caminho sem falar.

Mas o cenário do refeitório à hora de almoço fazia com que os corredores parecessem quase um sonho! As vozes de centenas de jovens faziam eco nas paredes de betão. A sala estava organizada em filas de mesas compridas e brilhantes e sentados à sua volta havia grupos a rir e a conversar. Todos tinham os seus grupos: as raparigas vistosas e populares ali, os rapazes atléticos acolá, os do género cromo mais afastados. Eu quase não conseguia pensar como deve ser, quanto mais sorrir e conversar descontraidamente como todos os outros aparentemente faziam.

Este ambiente é-te familiar? É uma experiência tão comum.

Conheci Davis, um rapaz pensativo e tímido que se encontrava numa situação semelhante no primeiro dia do sexto ano. Como um dos poucos jovens asiático-americanos numa escola maioritariamente branca, ele também sentia o desconforto de os outros estudantes pensarem que ele era «diferente». Estava tão nervoso que quase se esqueceu de respirar até chegar à sala de aula, onde gradualmente todos se foram acomodando. Finalmente, podia sentar-se e pensar. O resto do dia decorria de maneira semelhante – ele quase não conseguia caminhar até ao refeitório apinhado de alunos e só se sentia aliviado durante os momentos tranquilos na sala de aula. Quando a campainha tocava às três e meia da tarde, estava exausto. Conseguiu sobreviver ao primeiro dia do sexto ano, embora não sem que alguém lhe colasse pastilha elástica no cabelo durante o percurso de autocarro até casa.

Aparentemente, na manhã seguinte, todos estavam encantados por voltar. Todos exceto Davis.

# OS INTROVERTIDOS E OS CINCO SENTIDOS

No entanto, as coisas começaram a melhorar de uma forma que Davis jamais poderia imaginar naquele angustiante primeiro dia. Em breve, contarei o resto da sua história. Entretanto, é importante recordarmos que independentemente do quão alegres pudessem parecer, os jovens da minha escola e de Davis não estariam *todos* provavelmente assim tão felizes por lá estar. Os primeiros dias numa escola nova, ou mesmo numa que já se frequenta há anos, podem ser uma luta para qualquer estudante. E como introvertidos, a nossa reação ao estímulo significa que jovens como o Davis e eu precisamos realmente de fazer reajustamentos adicionais.

O que quero dizer com «reação ao estímulo»? Bem, muitos psicólogos concordam que a introversão e a extroversão se encontram entre os mais importantes traços de personalidade que moldam a experiência humana, e que isto é verdade para pessoas de todo o mundo, independentemente da sua cultura ou idioma. Isto significa que a introversão é também um dos traços de personalidade mais *investigados*. Estamos a aprender coisas fascinantes sobre o assunto a cada dia que passa. Sabemos hoje, por exemplo, que introvertidos e extrovertidos têm geralmente sistemas nervosos diferentes. Os sistemas nervosos dos introvertidos reagem mais intensamente do que os dos extrovertidos a situações sociais bem como a experiências sensoriais. Os sistemas nervosos dos extrovertidos não reagem tanto, o que significa que carecem de estímulos, tais como luzes brilhantes e sons fortes, para se sentirem vivos. Quando não estão a obter estimulação suficiente, podem começar a sentir-se aborrecidos e agitados. Preferem naturalmente um tipo de socialização mais gregário ou conversador. *Precisam* de ter pessoas à sua volta e alimentam-se da energia dos grupos. Têm mais propensão a ser faladores, procurar aventuras que libertem adrenalina ou erguer as mãos para serem os primeiros voluntários.

Por outro lado, nós, os introvertidos, resistimos mais – por vezes, muito, muito mais – a ambientes estimulantes como os ruidosos refeitórios das escolas. Isto quer dizer que tendemos a sentir-nos mais descontraídos e enérgicos quando estamos em ambientes mais silenciosos ou tranquilos – não necessariamente sozinhos, mas muitas vezes com grupos menos numerosos de amigos ou familiares que conhecemos bem.

Num determinado estudo, um psicólogo famoso chamado Hans Eysenck colocou gotas de sumo de limão – um estimulante – nas línguas de introvertidos e extrovertidos. A resposta natural da boca humana ao sumo de limão é a produção de saliva, para contrabalançar o sabor ácido do citrino. Assim, Eysenck imaginou que podia avaliar a sensibilidade à estimulação – neste caso a estimulação de uma gota de sumo de limão – medindo a quantidade de saliva que cada pessoa produzia em resposta ao líquido. Calculava que os introvertidos seriam mais sensíveis ao sumo de limão e produziriam mais saliva. E tinha razão.

Num estudo semelhante, cientistas descobriram que as crianças que são mais sensíveis ao sabor da água açucarada têm mais propensão para crescer como adolescentes sensíveis ao ruído de uma festa. Simplesmente, sentimos os efeitos do sabor, som e vida social um pouco mais intensamente do que os nossos companheiros extrovertidos.

Outras experiências obtiveram resultados idênticos. O psicólogo Russell Geen entregou problemas de matemática a introvertidos e a extrovertidos para estes resolverem, com níveis variáveis de ruído de fundo enquanto trabalhavam. Descobriu que os introvertidos tiveram melhor desempenho quando havia menos ruído, enquanto os extrovertidos o conseguiram com sons mais fortes.

Esta é uma das razões pelas quais os introvertidos como Davis preferem normalmente estar com poucas pessoas de cada vez; é menos desgastante do que estar rodeado por muitas pessoas diferentes ao mesmo tempo. Por exemplo, nas festas, nós, os introvertidos, podemos passar momentos fantásticos, mas por vezes a nossa energia esgota-se antes do tempo e ansiamos poder sair mais cedo. Passar tempo a sós num ambiente tranquilo recarrega as baterias dos introvertidos. É por isso que frequentemente apreciamos atividades a solo, como ler, correr ou escalar montanhas. Não deixes que ninguém te diga que os introvertidos são antissociais – somos apenas *diferentemente* sociais.

Ser bem-sucedido na escola ou em qualquer outro lugar surge de forma natural quando estamos num ambiente que deixa o nosso sistema nervoso funcionar ao seu melhor nível. E a realidade é que muitas escolas não oferecem o melhor ambiente para os sistemas nervosos dos introvertidos. Mas, assim que começares a prestar atenção às mensagens que o teu corpo te envia – como sentires-te ansioso ou oprimido – o poder está nas tuas mãos. Terás reconhecido que algo está mal e saberás que é preciso mudar alguma coisa. Podes agir de forma a recuperar o teu equilíbrio – mesmo antes de voltares ao santuário do teu quarto. Podes escutar o teu corpo e procurar os locais sossegados da tua escola para te recuperares, como a biblioteca ou a sala de informática, uma sala de aula vazia ou um professor amigo. Podes até refugiar-te na casa de banho para estares só contigo!

Davis talvez tenha entendido isto intuitivamente; por isso, depois do incidente da pastilha elástica, começou a sentar-se à frente no autocarro, onde ninguém o importunava. Procurou ignorar os sons estridentes dos jogos, os toques de telemóveis e os gritos e risos dos colegas. Rapidamente arranjou um par de tampões para os ouvidos e começou a aproveitar o tempo do percurso do autocarro para ler. Devorou toda a série de Harry Potter e depois voltou-se para livros de autoaperfeiçoamento como *Os 7 Hábitos das Pessoas Altamente Eficazes* e *Como Fazer Amigos e Influenciar Pessoas*. Desligar-se do ruído foi o seu meio de reduzir os estímulos e manter as ideias claras.

## SUPOSTAMENTE DEVIAS?

Há muito por desvendar à medida que avançamos na adolescência. As nossas necessidades físicas, emocionais e sociais vão todas em novas direções e pode ter-se a sensação de que essas necessidades foram todas lançadas numa misturadora e remisturadas em algo diferente. É simultaneamente assustador e excitante. Enquanto estiveres a navegar no mar social, lembra-te que mesmo os teus amigos mais extrovertidos estão a atravessar as suas próprias inseguranças sociais. A insegurança social é algo por que *todos* passamos – mesmo que tenhamos um irmão mais velho para nos explicar as coisas, ou tenhamos visto imensos filmes sobre escolas secundárias, ou tivermos sido populares desde o jardim de infância.

Julian, um finalista do ensino secundário de Brooklyn, Nova Iorque, que adora fotografia, lembra-se de se sentir frustrado pelo facto de, por estar calado, obter menos atenção dos seus colegas de turma. «Eu era normalmente muito estranho», observa com uma gargalhada. «Na escola primária e no início da secundária, tinha vergonha de ser tão calado, por isso costumava tentar atrair a atenção de outras formas, como enfiar coisas pelas camisolas dos outros, roubar as canetas dos outros, coisas assim. Ia para casa e não me sentia muito bem. Agora sou mais calmo. Procuro estabelecer contacto com as pessoas, não importuná-las. Não me mascaro, como costumava fazer.»

Karinah, uma rapariga reservada de dezasseis anos, também de Brooklyn, sente-se muitas vezes ansiosa quando é obrigada a frequentar ambientes sociais. Enquanto Julian costumava mascarar a sua introversão, falando alto ou importunando os outros, Karinah ficou fechada na sua própria cabeça, desde que se lembra. «Quando estou a conviver, mesmo com alguém que conheça da escola, sinto que quero apenas ser normal. Não quero dizer algo errado, e nem sempre digo o que me vai na mente. Nem sempre consigo expressá--lo adequadamente.»

A Dr.ª Chelsea Grefe, uma psicóloga de Nova Iorque, tem algumas ideias sobre o que pode fazer uma pessoa na pele de Karinah a fim de se preparar para este tipo de situações. A Dr.ª Grefe recorda-se de ter conhecido uma aluna do quinto ano, artisticamente dotada, que ficava nervosa quando tinha que conversar com outros jovens. Ela queria expandir os seus horizontes sociais. Tinha duas grandes amigas na escola, mas sentiu-se perdida quando foi separada delas. A Dr.ª Grefe encorajou a jovem a fazer *brainstorming* antes de entrar em situações que sabia antecipadamente a fariam sentir-se desconfortável. «Tinha a ver com estabelecer um plano e um guião sobre como iniciar a conversa», afirma. Primeiro, Karinah identificava as raparigas de outros grupos que se sentia mais à vontade para abordar. Depois estabelecia um objetivo para si mesma: perguntar individualmente a cada uma se queria sentar-se ou passear com ela mais tarde. Este pré-planeamento permitia--lhe evitar ter que se aproximar de uma mesa de refeitório cheia de gente sem a mínima ideia do que havia de dizer.

A Dr.ª Grefe sugere uma abordagem com algum tipo de frase de arranque, tão simples como: «O que fizeste este fim de semana?» ou «Estás interessada no novo evento da escola?» Deste modo, pode enfrentar-se uma situação social e ter algum tipo de apoio.

Maggie, uma colega de estudo da Pensilvânia, costumava comparar-se com outros colegas da sua turma – mais animados, «líderes naturais». Frequentemente interrogava-se por que seriam os jovens populares tão populares. Alguns nem eram assim tão apreciados! Por vezes eram muito atraentes, ou atléticos, ou inteligentes, mas muitas vezes parecia ter mais a ver com a forma como exteriorizavam os seus sentimentos. Eram os que conversavam com quem queriam, ou que falavam alto nas aulas, ou organizavam festas. Estas não eram qualidades que ela possuísse, e por vezes sentia-se ignorada – ou estranha – por causa disso.

«Quando todos os colegas populares ou que falavam alto estavam a conversar ou a rir-se, eu perguntava-me: "Porque não posso juntar-me à conversa deles? Onde está a dificuldade? O que há de errado comigo?"» Afinal, Maggie era gentil e divertida. Tinha coisas para dizer. Mas, na escola, não dava mostras destas qualidades, por isso sentia-se despercebida e desvalorizada.

Sinto-me feliz por referir que a perspetiva de Maggie mudou com o tempo. Quando descobriu que não era a única introvertida «em todo o universo», teve um alívio enorme. «As coisas começaram a compor-se quando li *Os Marginais*, de S. E. Hinton, no sétimo ano», contou-nos. «A primeira página deste livro mexeu realmente comigo. A personagem principal, Ponyboy, encaminha-se para casa depois de ter ido sozinho ao cinema, e diz que por vezes prefere "isolar-se". Fiquei tão surpreendida e feliz ao ler estas palavras. Fizeram-me compreender o que era *isto*! Há outros que também se sentem assim!»

Como já antes disse, entre um terço a metade da população é introvertida. Ser introvertido não é algo que deixe de nos servir: é algo para aceitar e *com que* se cresce e que até se deve acalentar. Quanto mais notares como são especiais as tuas qualidades de introvertido – e como algumas das coisas de que mais gostas estão provavelmente ligadas com a tua natureza introvertida – mais confiança ganharás, que alargarás a outras áreas da tua vida. Não tens que seguir a atividade dos outros, ou fazer amizade com as pessoas; pensas que se *espera* isso de ti. Em vez disso, faz aquilo que aprecias e escolhe os amigos cuja companhia realmente valorizas.

Uma jovem chamada Ruby disse-me que durante o ensino secundário se virou do avesso para conseguir ser uma «mentora de caloiros» porque esse era um papel de prestígio na sua escola. Só quando foi afastada do programa por não ser suficientemente extrovertida é que se apercebeu que a sua vocação era outra. Começou a passar tempo depois das aulas com o professor de Biologia e acabou por publicar o seu primeiro trabalho científico com a idade de dezassete anos. Inclusivamente ganhou uma bolsa de estudo universitária para seguir Engenharia Biomédica!

Como a história de Ruby nos mostra, há muitas coisas que realmente devíamos fazer enquanto pessoas boas, como sermos benevolentes ou prestáveis para os nossos familiares e amigos. Mas há também numerosas *pressuposições*. No meu primeiro ano do segundo ciclo, lutei por ser a versão expansiva de mim mesma que se supunha que eu deveria ser: animada, fixe e ruidosa. Precisei de tempo para me aperceber que podia ser quem quer que eu fosse, naturalmente. Afinal, as pessoas que eu admirava – os meus heróis e os meus modelos – eram escritores. Pareciam-me genuinamente impecáveis – e muitos deles também eram introvertidos. Apesar de na altura eu não ter ainda o benefício de entender o meu sistema nervoso, ou até a palavra que descreve a minha personalidade, acabei por começar a adaptar a minha vida social às suas necessidades. Fiz alguns bons amigos e reparei que gostava de sair com eles; com um ou dois de cada vez, não em grandes grupos. Decidi que não ia ter o maior grupo de amigos, mas que *ia ter* aqueles que eram verdadeiros e excelentes. E continuei a fazer o mesmo ao longo de toda a minha vida.

## UMA EXPLICAÇÃO ANIMADA

Acabei por tomar consciência, não só do quão importante é seguir os meus instintos e interesses, mas também expressar os meus sentimentos e explicar as minhas ações aos outros. Eis um exemplo que te pode parecer conhecido. Digamos que estás a caminhar por um corredor, de uma aula para outra, mergulhado em pensamentos profundos ou eventualmente esmagado pelo ruído e pelos grupos. Passas por uma amiga ou colega e olhas para ela de relance, mas estás tão preocupado que não paras para dizer olá e conversar um pouco. Não querias ser indelicado ou magoá-la, mas a tua amiga ficou a pensar que estás zangado por alguma coisa.

Toma atenção a momentos mal-entendidos como este e faz o possível por explicar o que estavas a pensar e a sentir. Uma amiga extrovertida – e até talvez uma introvertida – não vai provavelmente adivinhar que estavas distraído com os teus pensamentos ou com demasiada estimulação sensorial, e a tua explicação vai fazer toda a diferença.

Todavia, nem todos irão entender a tua natureza, mesmo que procures explicá-la. Quando Robby, um adolescente de New Hampshire, ouviu falar de introversão pela primeira vez teve uma enorme sensação de alívio. Tinha a tendência de ficar calado no meio de grandes grupos e embora se sentisse confortável a conversar e a divertir-se com os seus amigos mais chegados, tinha um limite. «Ao fim de um par de horas é como se, "Uf, não consigo fazer isto!". É esgotante. Há uma parede que se ergue e deixo de querer falar seja com quem for. Não é exaustão física. É exaustão *mental.*»

Robby procurou explicar as diferenças entre introvertidos e extrovertidos a uma amiga expansiva, mas ela não conseguiu entender a sua perspetiva. Ela dava-se bem em lugares ruidosos, movimentados e não entendia por que tinha ele a necessidade de estar sozinho com tanta frequência. Drew, um outro amigo de Robby, captou imediatamente a ideia. Ele era mais do género ambivertido. Não era tão expansivo como a sua irmã mais nova, mas também não era tão reservado como os seus pais. Quanto mais conversava com Robby sobre como era ser introvertido, mais queria que as pessoas entendessem ambas as facetas da sua personalidade.

Como cineasta amador, Drew andava a experimentar um novo estilo de animação e depois de investigar o assunto da introversão, produziu um anúncio de serviço público animado, intensamente gráfico, sobre o que significava ser silencioso. Drew postou o filme no YouTube, mas isso foi apenas o princípio. Ele foi também produtor do noticiário televisivo da escola. Uma vez por semana, todos os estudantes na escola viam o último episódio, e num deles, Drew incluiu o seu anúncio sobre introvertidos. A resposta foi assombrosa; até um dos professores, que mantinha em segredo ser introvertido, expressou a sua gratidão. «Consegui que toda a comunidade escolar compreendesse», disse Drew. «Nas semanas que se seguiram, as pessoas vinham ter comigo e diziam-me: "Aquilo foi fantástico!"» O seu amigo Robby agradeceu-lhe mais do que ninguém.

Todas as escolas poderiam beneficiar com a compreensão mais profunda das diferentes forças e necessidades dos estudantes introvertidos e extrovertidos. Os anos do ensino básico e secundário são os mais difíceis para quem é introvertido, porque quando centenas de jovens se acumulam num só edifício, pode parecer que a única maneira de conquistar respeito e amizade é através da vivacidade e da visibilidade. Mas há tantas outras grandes qualidades, como a capacidade de profunda concentração nas disciplinas e nas atividades, e um talento para escutar com empatia e paciência. Estes são dois «superpoderes» dos introvertidos. Aproveita-os, descobre as tuas paixões e persegue-as de coração aberto. Então não irás apenas sobreviver, mas *desenvolver-te*.

## SOBRESSAIR TRANQUILAMENTE

Por vezes é natural que o stresse e o drama do dia a dia escolar te possam absorver. Mas podes sempre sobre-erguer-te a isso mantendo intacto o mais fundo do teu ser. Eis alguns conselhos a que poderás sempre recorrer:

ENTENDE AS TUAS NECESSIDADES: Os ambientes turbulentos comuns nas escolas são frequentemente desgastantes para os introvertidos. Assume que por vezes haverá um desencontro entre ti e o teu ambiente, mas procura que isso não te impeça de seres quem és. Procura encontrar tempos e locais tranquilos para recarregares as tuas baterias. E se preferires conviver com um ou dois amigos de cada vez em vez de com um grupo grande, está tudo bem! Pode ser um alívio encontrar pessoas que sentem o mesmo que nós, ou que simplesmente entendem de onde vimos.

PROCURA O TEU CÍRCULO PRÓPRIO: Podes achar que te sentes melhor com atletas, programadores, ou com pessoas que são apenas simpáticas, quer estejam ou não perfeitamente alinhadas com os teus interesses. Se precisas de fazer uma lista de coisas sobre as quais conversar para manter uma amizade a funcionar, avança.

**COMUNICA:** Assegura que os teus amigos percebam o que te leva por vezes a refugiares-te ou a ficares silencioso na escola; fala-lhes sobre a introversão e a extroversão. Se eles forem extrovertidos, interroga-os sobre o que precisam de ti.

**DESCOBRE A TUA PAIXÃO:** Isto é fundamental para toda a gente, independentemente do seu tipo de personalidade, mas é sobretudo importante para os introvertidos, porque muitos de nós gostamos de concentrar a nossa energia em um ou dois projetos que realmente nos interessam. Além disso, quanto te sentes angustiado, a paixão genuína irá animar-te e dar-te o estímulo de que precisas para venceres o teu medo. O medo é um inimigo poderoso, mas a paixão é uma amiga ainda mais forte.

**EXPANDE A TUA ZONA DE CONFORTO:** Todos podemos expandir-nos até certo ponto, ultrapassando as nossas aparentes limitações ao serviço de uma causa ou de um projeto que nos entusiasmam. E se estiveres a expandir-te para uma área que realmente te assusta – para muitas pessoas, falar em público cai nesta categoria – assegura-te de avançar com passos pequenos mas firmes. No Capítulo Treze encontrarás mais leitura sobre este assunto.

**CONHECE A LINGUAGEM DO TEU CORPO:** Sorrir não só deixará as pessoas à tua volta mais à vontade – vai tornar-te mais feliz e confiante. Este é um fenómeno biológico. Sorrir é assinalar ao resto do teu corpo que tudo está bem. Mas este princípio não é só válido para sorrisos: presta atenção ao que o teu corpo faz quando te sentes confiante e descontraído – e ao que faz quando te sentes tenso. Cruzar os braços, por exemplo, é frequentemente uma reação de nervosismo e pode fazer com que pareças – e te sintas – isolado. Procura posições para o teu corpo que não indiciem angústia e que o façam sentir-se bem.

## Capítulo Dois
# EM SILÊNCIO NA SALA DE AULA

De quatro em quatro semanas, Grace entrava intempestiva-
mente em casa depois da escola, tão perturbada que era difícil acreditar. «Outra vez!», desabafava com a mãe. Acontecia
sempre que era anunciado o prémio de Estudante do Mês do
oitavo ano. O prémio era atribuído por trabalho intenso, bom
comportamento e participação geral nas aulas, mas na opinião
de Grace, era sempre conferido a um dos estudantes mais expansivos. Os vencedores, explicava Grace, eram sempre aqueles que constantemente levantavam as mãos. Esse não era,
simplesmente, o estilo de Grace. Na aula sentava-se nas filas
de trás e acompanhava o assunto escutando e tomando as suas
notas. Outros alunos deixavam escapar apressadamente uma
torrente de palavras perante qualquer oportunidade. Parecia-
-lhe que eles nem sequer pensavam antes de levantarem a mão
e que a única coisa que queriam era audiência.

Os professores de Grace estimularam-na a dar mais contributos. A amistosa professora de Inglês podia dizer que,

pelos seus trabalhos escritos, ela tinha coisas a acrescentar ao debate nas aulas, e muitas vezes incentivava Grace a falar. «Frequentemente, dizia-me: "Grace, estás na verdade muito calada. Que tal leres os próximos três parágrafos do manual?"» Grace fazia-o, com relutância.

Depois de meses sem receber o reconhecimento que achava merecer, Grace estava preparada para ganhar aquele prémio. As suas notas eram suficientemente boas e nunca causava problemas nas aulas. Embora se esquivasse a ser o centro das atenções, queria que a reconhecessem. Assim, decidiu baralhar um pouco as coisas. Sempre que um dos professores pedia voluntários para ler em voz alta, Grace começou a erguer imediatamente a mão. Quando achava que a voz lhe tremia um pouco, fazia uma pausa depois de cada parágrafo. Quando se sentia bem, prosseguia. Também jurou contribuir mais para as discussões abertas nas aulas.

Grace começou a observar padrões para o seu nervosismo. Por exemplo, sentia-se menos ansiosa quando era chamada sensivelmente a meio da aula, depois de alguns dos seus colegas já terem falado. Deste modo, tinha oportunidade para formular a suas próprias opiniões; tanto podia expandi-las a partir das ideias de outros estudantes como discordar delas e propor algo novo. Por vezes quando era chamada para ser a primeira a responder a uma pergunta, oferecia-se para responder em segundo ou terceiro lugar, a fim de conseguir algum tempo extra para preparar uma resposta. Então sugeria outro estudante, alguém que parecesse ansioso por fazer ouvir a sua voz.

Arrasava os nervos, mas a estratégia funcionou. Grace começou a levantar a mão cada vez mais vezes, lenta mas confiadamente. Oferecia-se para ler, apresentava perguntas quando precisava de esclarecimentos e dava a sua opinião nas discussões na aula. Não mudara exatamente os seus modos – era mais como se eles estivessem a sair do seu *habitat* natural. Não decorreu muito tempo até lhe ser atribuído o prémio de Estudante do Mês.

## REPENSAR A PARTICIPAÇÃO NAS AULAS

A participação nas aulas tem os seus benefícios – pode ser divertido expressar as tuas ideias em voz alta e é definitivamente uma competência de que irás precisar ao longo da vida, mas na minha opinião, alguns professores levam a ideia de participação longe de mais. Brianna, uma adolescente do Colorado, teve um professor que dava a cada estudante três paus de gelados no início da aula. Os alunos sentavam-se num grande círculo e sempre que algum acrescentava algo à discussão na aula, atirava um dos seus paus de gelado para o centro. Quando a aula chegava ao fim esperava-se, supostamente, que todos se tivessem livrado dos seus paus. «Se não nos tivéssemos visto livres dos três paus de gelado, as notas desciam imenso», recorda Brianna.

Em vez de enriquecer a discussão, dizia Briana, a técnica dos paus de gelado provocava uma conversa sem sentido. Os jovens falavam apenas para poderem atirar os paus para o meio. Brianna também teve que se rebaixar a este nível, e isso era frustrante para ela. «Não gosto de falar por falar», conta-nos. «Se tinha algo de importante para dizer, dizia-o. Mas acabei por começar a dizer pequenas frases rápidas acerca de qualquer coisa para poder lançar fora o pau de gelado.»

Outros professores classificam os estudantes pela participação na aula, concedendo notas mais altas aos estudantes faladores, quer eles tenham dominado ou não o assunto. Mas há métodos de ensinar que pelo contrário medem o «empenho na aula» – um conceito muito mais amplo do que «participação» e que dá espaço a muitas e diferentes maneiras de interagir com a matéria.

A discussão em grupo na aula faz sentido por algumas razões. Permite que os estudantes ouçam as ideias dos outros e revela aos professores se os alunos estão a fazer o seu trabalho e o acham aliciante. Uma forte discussão na aula pode ser uma boa maneira de manter os estudantes empenhados na matéria. Mas a palavra-chave é: *empenhados*. Um estudante silencioso que pouco ou nada diz pode ser tão empenhado como outro expansivo que profere respostas sem o menor esforço.

Uma investigadora chamada Mary Budd Rowe fez um estudo para saber quanto tempo os professores esperam desde que colocam uma pergunta até chamarem um estudante que erga a mão para responder. Um segundo!

Alguns educadores estão a tentar aperfeiçoar as discussões nas aulas introduzindo o conceito de «tempo para pensar», ou como Rowe lhe chamava, «tempo de espera». Funciona deste modo. Depois de o professor fazer a pergunta, concede aos estudantes um ou dois minutos de silêncio para pensarem, antes de continuar a discussão.

Uma técnica semelhante é «Pensar/Associar/Partilhar», com a qual os estudantes começam por se sentar em silêncio para pensar, a seguir expressam as suas ideias a um colega ou a um pequeno grupo. Só depois enveredam pela discussão a nível de toda a turma. Esta é uma forma de ampliares lentamente a tua audiência e que te pode ajudar a sentires-te bem a partilhar. Também te dá tempo para refletires e desenvolveres os teus pensamentos.

Se não tiveres a sorte de ter um professor que tenha adotado ideias como a do «tempo para pensar», e achares que o teu professor talvez seja recetivo, podes tentar reunir a coragem para ter uma conversa com ele (ou com ela). Esta é a história de uma rapariga em Inglaterra chamada Emily que fez exatamente isso. Emily era calada em grandes grupos mas faladora com os seus amigos e tomou conhecimento de algumas das ideias contidas neste livro através das minhas conferências e artigos na imprensa. Quando tinha doze anos teve um professor que já lhe chamara a atenção por ter uma participação insuficiente. A ideia de se dirigir ao professor e falar-lhe diretamente era demasiado intimidante. Assim, em vez disso, Emily escreveu-lhe um bilhete. Explicou-lhe que era introvertida e que se sentia desconfortável a falar diante de um grupo tão grande. Mais tarde o professor pediu-lhe para ficar depois da aula para conversarem. Ficou a saber que ele também era introvertido. Compreendia afinal porque tinha Emily tanta relutância em falar na aula e prometeu dar-lhe mais oportunidades para poder trabalhar em grupos mais pequenos.

Ao comunicares as tuas necessidades, tal como fez Emily quando escreveu ao professor, dás a conhecer aos outros aquilo que és. O bilhete de Emily permitiu que o seu professor percebesse que ela não estava aborrecida ou desinteressada da aula; sentia-se simplesmente desconfortável a falar em frente do grupo.

Chamar a atenção para os teus modos envergonhados ou introvertidos pode parecer uma contradição, mas a história de Emily serve para mostrar que não é preciso sofrer sozinho. Os outros podem dar passos para te ajudar a sentir mais confortável – e podem até já conhecer esses sentimentos a partir das suas próprias experiências.

## COMO SER ESCUTADO NA SALA DE AULA

Tanto como gostaria de ver as escolas e os professores a repensarem as suas abordagens à participação nas aulas, também acredito que te sentirás mais satisfeito a longo prazo se desenvolveres a confiança de contribuir verbalmente com as tuas ideias, em vez de as manteres fechadas como numa garrafa. As tuas ideias merecem ser ouvidas e apreciadas. De facto, um estudo apurou que no ambiente típico de grupo, com o tempo, os contributos dos introvertidos têm-se tornado cada vez mais apreciados, porque os outros apercebem-se que quando os introvertidos levantam a mão para falar, usualmente, é porque têm algo que vale a pena ouvir.

Se fores renitente em participar nas aulas, pode ser uma ajuda perceberes *porque* sentes tanto desconforto ao falar na aula. Esta perceção pode facilitar-te o desenvolvimento de estratégias, tal como fez Grace, para partilhares as tuas ideias nos teus próprios termos.

Porque é que falar alto parece tão pouco natural? Eis algumas das razões mais comuns que escutámos:

Não quero estar errado.

Não quero dizer algo sem significado.

Estou demasiado ocupado a ouvir falar.

Não tenho tempo para pensar numa resposta.

Tenho medo de não conseguir falar quando abrir a boca.

Detesto ter todos aqueles olhares em mim. Nunca gostei de ser o centro das atenções.

Alguns destes comentários têm que ver com ansiedade social – o medo de fazer algo errado e ficar embaraçado numa situação social. Não temos que nos envergonhar da ansiedade social. A maior parte das pessoas já a sentiu num momento ou noutro, mas algumas pessoas sentem-na de uma forma especialmente intensa. Quando a ansiedade social toma conta do melhor que há em ti, fica a saber que não estás só, e procura dar a ti mesmo pequenos empurrões através do medo – por exemplo, levantando a tua mão para responder a uma pergunta que estás certo de saber a resposta. Quantas mais vezes fizeres isto, com mais frequência vais pontuar pequenas «vitórias» e mais fácil se irá tornar com o tempo, mesmo que isso agora te pareça impossível. (No entanto, se esta situação te afeta diariamente ou te inibe de fazeres as coisas de que gostas, considera a possibilidade de procurar a assistência de um conselheiro ou de um psicólogo.)

Simultaneamente, quanto mais à vontade conseguires estar ao falar em voz alta, mais te irás aperceber que não tens de estar certo ou ser «perfeito» para mereceres a atenção dos outros. Alguns dos comentários que acabámos de ver têm que ver com o perfeccionismo de que muitos introvertidos sofrem e que é uma espada de dois gumes. Mantém a qualidade do teu trabalho em alto nível, mas muitas vezes impede-te completamente de divulgares as tuas ideias, já que muito pouco do que alguém faz ou diz está perto de ser perfeito.

Mas manter o silêncio não tem só que ver com medo, ansiedade ou perfeccionismo. Muitos introvertidos preferem simplesmente esperar até terem algo significativo para dizer (e muitos com quem falei expressaram o seu desejo de que gostariam que todos os outros seguissem a mesma regra!). Em contraste com os extrovertidos, que tendem a pensar alto, nós, os introvertidos, gostamos de pensar *antes* de falar. De facto, a capacidade de nos concentrarmos profundamente num assunto é um dos nossos dons especiais. Um professor que nos chama inesperadamente pode fazer-nos congelar, pois não tivemos tempo para pensar na nossa resposta. Frequentemente, nós, os introvertidos, valorizamos tanto o conteúdo e a clareza das nossas respostas que preferimos ficar em silêncio em vez de simplesmente «despejar» qualquer coisa. Por vezes, quando pensamos naquilo que verdadeiramente queremos dizer, a discussão já terminou.

Independentemente das tuas razões para te manteres em silêncio, os estudantes entrevistados para este livro surgiram com muitas estratégias diferentes para fazer ouvir as suas vozes. E muitos disseram que quanto mais participam, mais fácil se torna.

O primeiro passo é encontrares um meio de contribuir com que te sintas à vontade. Por vezes isto pode ser tão simples como escolher o lugar certo na sala. Um estudante com quem falámos procurava sempre sentar-se na fila da frente. Desse modo, quando falava, não podia ver os rostos dos outros estudantes voltados para ele e isso aliviava-lhe a pressão. Outro disse-nos que gostava de se sentar perto dos seus amigos, que o faziam sentir mais positivo. Outros ainda disseram que aprenderam a concentrar-se e a dirigir os seus comentários para os colegas de turma que pareciam cordiais e interessados, não para os que pareciam mais arrogantes e frios.

Outros estudantes concentram-se em quão nervosos estão os outros. Lola, uma rapariga de dezasseis anos de Queens, Nova Iorque, reparou que os seus colegas de turma estão normalmente tão preocupados em gerir a sua própria imagem social que nem reparam como ela está nervosa. A verdade é que partilhar pensamentos e ideias faz com que qualquer pessoa se sinta vulnerável. Até as pessoas que parecem confiantes se preocupam em ter a resposta exata. De certa forma, estamos todos juntos nisto.

Alguns estudantes descobriram que falar na aula é mais fácil para eles do que a usual conversa social. Para Liam, um estudante do sexto ano de Toronto, Ontário, o ambiente da sala de aula permite-lhe expressar as suas ideias sem ser apanhado no «diz tu, direi eu». Depois de ele falar, explica, o professor chama o aluno seguinte e Liam não tem que se preocupar em prosseguir, como sente que tem de fazer nas conversas com amigos.

Grace, a rapariga que conhecemos no início deste capítulo, esperava poder dar o seu contributo até ter tido tempo para «aquecer». Para ela era o que funcionava. Mas a estratégia oposta – preparares-te antecipadamente para seres o primeiro a falar – pode ser melhor para ti. Para mim resultou, quando eu era estudante na Faculdade de Direito.

Em janeiro de 2013, falei sobre o meu livro *Silêncio* num evento em Washington, D. C. A minha velha amiga Angie juntou-se a mim no palco para as perguntas e respostas. Eu e Angie conhecemo-nos enquanto estudantes na Harvard Law School e tínhamos recuperado contacto havia pouco tempo. Para iniciar a noite, Angie disse à assistência que, quando éramos colegas de faculdade, não fazia a mínima ideia que eu era tão introvertida.

Todos ficaram surpreendidos, incluindo eu. Mas Angie salientou que eu era sempre a primeira da turma a levantar a mão. Como poderia eu ser introvertida?

A confusão dela fazia sentido. Na Harvard Law School, as aulas eram ministradas em enormes auditórios do tipo anfiteatro, num estilo de ensino conhecido como «método socrático». O professor chama alunos aleatoriamente e quando se é chamado não se pode dizer *não*. É intimidante, mas se nos inscrevemos na cadeira temos de dizer alguma coisa. Eu conhecia as regras, mas ainda assim não queria ser chamada inesperadamente. Por isso, preparava sempre algumas ideias antes de cada aula, com base na matéria que andávamos a dar. Depois, puxava pela minha coragem, levantava a mão, e dava o meu contributo tão cedo quanto possível, antes de a discussão enveredar para território desconhecido. Deste modo, era menos provável os professores chamarem-me mais tarde durante a aula, num momento em que eu podia não estar ainda pronta para responder. Pelo contrário, eu sabia que eles procurariam os estudantes que ainda não tinham dado o seu contributo.

Esta estratégia acabou por revelar uma outra vantagem inesperada, documentada por psicólogos sociais: as ideias das pessoas que num grupo falam em primeiro lugar têm normalmente mais peso. Assim, descobri que muitas vezes os professores, ao longo da aula, se referiam aos meus contributos, fazendo-me sentir – de forma bastante inesperada – como uma presença real na sala.

Claro que não sou a única a usar este tipo de truque. Por exemplo, quando Davis frequentava o ensino básico, não podia sequer pensar em falar numa sala cheia de alunos. Depois recebeu o seu primeiro B numa ficha de classificação. O seu professor de Inglês explicou-lhe que a participação contava para a nota, e uma vez que Davis nunca levantava a mão para falar, não podia receber um A, independentemente da sua prestação poder ser muito boa nos exames escritos. «Era como escolher entre dois males», recorda Davis. «Ou recebes um B ou levantas a mão.» Davis orgulhava-se demasiado no seu trabalho para se contentar com uma nota suficiente, por isso obrigou-se a levantar a mão e a ler em voz alta. «De início estava assustado. Assustado por poder falhar ou tropeçar nas palavras. Sentia a transpiração começar a correr na testa. Mas não podia permitir-me baixar a mão», conta-nos. Ao dar estes passos corajosos, Davis percorreu um longo caminho até se afastar do seu medo, como verás nos últimos capítulos.

Para alguns dos leitores deste livro pode parecer que o seu desconforto em falar na aula é inultrapassável. Mas *tu podes fazer isso* – e podes descobrir que é muito mais fácil do que pensas. Liam, o aluno do sexto ano de Toronto, diz que começou a sentir-se tão à vontade ao falar na aula que até acabou por procurar sempre fazê-lo!

Acredita em mim – isto também pode acontecer contigo.

## SOLUÇÕES TRANQUILAS

É normal que o teu coração bata mais depressa quando levantas a mão na aula. Muitas pessoas sentem isso e falar em voz alta vale o esforço. Se não tiveste tempo de ler todo o capítulo, eis uma lista de estratégias para facilitar o processo:

ATACA CEDO: Se conheceres antecipadamente o tema da discussão, planeia o que vais dizer. Desenvolve uma opinião ou uma ideia e dá o teu contributo antes que a discussão tome uma direção inesperada.

**IDENTIFICA O TEU MELHOR PONTO DE PARTIDA:** Quando é que te sentes mais confortável para dar o teu contributo? Desenvolve uma estratégia para participares na discussão da maneira que te for mais fácil. Em vez de seres o primeiro a falar, talvez prefiras escutar os comentários dos teus colegas e aproveitá-los para construíres e ampliares a tua resposta. Talvez queiras ser aquele que faz perguntas ponderadas, ou fazer de advogado do diabo. Escolhe o papel que sintas ser mais natural para ti.

**USA NOTAS:** Se te preocupa poderes ficar repentinamente mudo quando estiveres a falar, anota as tuas ideias numa folha de papel para que possas consultá-las se for preciso.

**DÁ CONTINUIDADE:** Se tinhas um ponto para focar, mas não conseguiste reunir a coragem para levantar a mão, envia uma mensagem ao teu professor depois das aulas, para que ele (ou ela) saiba que prestas atenção à aula e és curioso.

**OBSERVA OS TEUS COLEGAS DE TURMA:** Repara em todas as vezes que os teus colegas fazem comentários sem sentido, ou dizem algo que está completamente errado, e ninguém se importa. Desenvolve uma atitude compreensiva e tolerante perante os erros dos outros e, portanto, perante os teus. Acabarás por verificar que nada de terrível acontece se deres uma resposta errada ou se a tua voz tremer ligeiramente. «Se a tua resposta estiver incorreta, o professor simplesmente passa para o aluno seguinte», diz uma sensata adolescente chamada Annie.

PROCURA A TUA MOTIVAÇÃO: A melhor maneira de gerir a vida escolar é descobrindo as tuas fontes de interesses pessoais. Isto não significa que cada estudante tímido ou reservado precise de se tornar líder dos seus pares ou concorrer para delegado de turma – claro que não! Em vez disso, pensa sobre um objetivo importante para ti. Quanto mais te interessares por um tema, mais confortável te sentirás a falar sobre ele.

# PARTICIPAÇÃO NA AULA PARA INTROVERTIDOS

### direção errada

### mente domina matéria

### esquiva

### desaparecer

### pensamento utópico

### ataque preventivo

## Capítulo Três
# PROJETOS DE GRUPO
# EM ESTILO INTROVERTIDO

As atividades de grupo são um pau de dois bicos. Por um lado, trabalhar com outros pode significar menos pressão; os projetores incidem sobre todos e não só sobre ti. Por outro lado, a necessidade de ser sociável ao trabalhar com um grupo pode ser esgotante para os que preferem trabalhar autonomamente.

Karinah, a segundanista de Brooklyn, geme interiormente quando um professor distribui trabalho de grupo. Como alguém proveniente de uma família numerosa que partilha o quarto com a irmã, Karinah anseia por privacidade e tempo para si mesma. «Um dos privilégios do tempo passado nas aulas», diz-nos, «é que me dá uma pausa relativamente às zonas sociais da escola, como os átrios ou o refeitório. Pode ser um alívio estar num lugar onde se espera que ouçamos as coisas em silêncio.»

Não se trata de nós, introvertidos, não termos ideias para contribuir para o grupo, porque normalmente temos. O que se passa é que nem sempre queremos falar sobre elas à frente de um grupo de pessoas. Por vezes, a fanfarronice dos jovens expansivos não deixa espaço suficiente para os estudantes mais discretos poderem dizer de sua justiça. Olivia, uma estudante a meio do ensino básico, prefere formar equipa com os estudantes menos motivados da sua turma. «Gosto de estar em grupos em que os jovens não façam nada para eu poder fazer tudo», diz-nos.

Pode ser fácil recorrer a esta estratégia, mas porquê subestimares-te trabalhando com pessoas que não te desafiam? A verdade é que os melhores grupos são compostos por um misto de introvertidos e extrovertidos. Cada tipo de pessoa oferece uma perspetiva diferente sobre um problema ou um desafio, e juntos cobrimos uma área mais ampla. Podes dar contigo no meio de muitos tipos de grupos – no Capítulo Seis falaremos sobre o convívio em festas e no Capítulo Dez sobre a prática de desportos de equipa – mas os projetos de grupo na escola são talvez os mais desafiantes. Mas uma vez que descubras um papel que evidencie as tuas forças e permita que as tuas ideias venham a lume, a tua confiança irá florescer. Quer sejas ruidoso ou silencioso em grupos, este capítulo pode ajudar-te a encontrar um papel que se te ajuste.

# A ASCENSÃO DOS GRUPOS

Visitei dezenas de escolas enquanto fazia pesquisa para o meu livro e para a conferência TED, e surpreendeu-me a quantidade de professores que hoje em dia marcam trabalhos de grupo. Nas salas de aula de todo o país, as carteiras são dispostas em conjuntos de quatro ou cinco e espera-se que os estudantes colaborem.

Vejamos a escola de Brianna no Colorado. Na sua aula de Espanhol foi distribuído um trabalho de grupo com imensa liberdade criativa. Cada grupo tinha de fazer um vídeo sobre mobiliário, narrado em espanhol e usando vocabulário que tinham aprendido recentemente. Brianna apresentou uma ideia ao seu grupo. Podiam escrever um guião, dividir os papéis em narrador, realizador e montador, e depois ir a uma loja de mobiliário como o IKEA para fazerem juntos o filme.

Ela pensou que a sua abordagem era sensata, mas os seus cinco colegas estavam demasiado ocupados a discutir para poderem ouvir. Lutavam para conseguirem trabalhar juntos. Cada membro do grupo estava agarrado à sua própria ideia e parecia que ninguém estava interessado em ouvir os outros. Assim, decidiram separar-se e cada um fazer a sua própria peça do trabalho para depois fazerem a montagem das diferentes peças num só vídeo. «Foi realmente agitado», conta Brianna, «uns fizeram mais trabalho do que outros. Eu fiz cerca de metade da montagem porque não ia falar e dizer: "Não, tu também tens de fazer isto."»

Brianna gostaria de ter sido mais assertiva. «É algo fácil para uma pessoa reservada ser conduzida... muitas pessoas tiram vantagem disso», refere. Se ela tivesse podido recomeçar o projeto do princípio, teria lutado mais energicamente pelo seu plano inicial. Desejava ter conseguido abrandar o ritmo daquela primeira discussão para que todos no seu grupo pudessem explicar o que queriam e porquê. Juntos, poderiam ter depurado as ideias que não funcionavam, e imaginar quais funcionariam. Sugerir isto teria exigido coragem e Brianna admitiu-o, mas também teria conduzido a um produto final muito melhor.

E este tipo de coragem está mais acessível do que podes pensar.


## «T-SHIRTS» E LÍDERES TRANQUILOS

Embora frequentemente vacilemos em situações de grupo, a evidência demonstra que os introvertidos dão líderes fortes – conduzindo muitas vezes a melhores resultados do que líderes extrovertidos. Sim, leste bem – não só resultados decentes, mas melhores. Adam Grant, psicólogo na Wharton School, trabalhou com os seus colegas para testarem as diferentes maneiras como os introvertidos e os extrovertidos se comportam em situações de grupo. Recrutaram 163 estudantes-colegas para participarem na sua experiência e dividiram-nos em equipas de cinco. Cada equipa tinha um líder designado e quatro seguidores. Foi entregue a cada equipa uma pilha de *T-shirts* e uma simples tarefa: dobrar o maior número possível delas em dez minutos.

No entanto, a experiência de Grant tinha um pequeno truque. Um «estudante» em cada grupo era na realidade um ator que fora previamente ensinado a dobrar depressa e com eficácia as *T-shirts*. No início da competição, este ator dizia à equipa que conhecia um método ótimo de dobrar *T-shirts* e perguntava se queriam aprendê-lo. Quando o líder do grupo era mais do estilo introvertido, a equipa era mais recetiva a ouvir a ideia do ator. Os líderes que eram mais extrovertidos eram mais reticentes a aceitar a proposta. E isto fez a grande diferença. Os grupos que ouviram a sugestão acabaram por cumprir a tarefa mais rapidamente.

Porém, estas descobertas não foram só sobre *T-shirts*. O professor Grant também analisou os lucros da uma cadeia de pizarias e descobriu que as lojas com melhores resultados eram as que possuíam equipas de pessoas proativas dirigidas por chefes introvertidos.

Um outro estudo famoso, de Jim Collins, apurou que as onze empresas com melhores desempenhos nos Estados Unidos eram lideradas por CEO que eram descritos como «discretos», «modestos», «afáveis», «silenciosos» e «tímidos». Não é tão surpreendente como podes pensar. Os introvertidos tendem a assumir posições de liderança nos grupos apenas quando realmente têm algum contributo para dar. Depois, quando as exercem, escutam cuidadosamente as ideias das pessoas que dirigem. Tudo isto lhes confere uma grande vantagem sobre os líderes que chegam ao topo unicamente porque se sentem bem por falarem muito ou por deterem o controlo.

Repara na história de Karinah.

No décimo ano, o professor de Inglês de Karinah dividiu a turma em grupos e pediu-lhes para fazerem apresentações PowerPoint sobre um romance histórico. Quando o trabalho foi atribuído, Karinah já tinha lido e compreendido perfeitamente o livro. Dizer que ela era um rato de biblioteca é um eufemismo; praticamente devorava a lista de leituras aconselhadas da escola para além de apreciar a fantasia dos romances de ficção científica que ela própria escolhia. Mesmo assim, resistia a falar sobre o assunto e não ansiava ser agrupada com os seus pares.

Quando o professor definiu os grupos, Karinah surpreendeu-se por ficar num com três colegas tão introvertidos como ela. A primeira reunião que fizeram teve imensas pausas. Foi como se todos estivessem à espera que alguém se apresentasse como líder. Por fim, Karinah encontrou a coragem suficiente para falar – afinal lera o livro e tinha opiniões sobre como as imagens e o cenário eram usados na história. «Depois de partilhar os meus pensamentos, perguntei ao meu grupo: "O que querem fazer? Para vocês, isto está certo?"» Sucedeu que ao encorajar os outros estudantes a falarem, em vez de monopolizar o centro das atenções, Karinah também os ajudou a abrirem-se. Em breve, cada membro da equipa começou a avançar com ideias suas. «Quando nos ouvíamos uns aos outros, era como se estivéssemos a apoiar-nos mutuamente», recorda.

Depois de provar a si mesma que conseguia falar em voz alta num grupo e saber-se ouvida, Karinah sente-se agora menos ansiosa quando tem de sentar-se num conjunto de carteiras. «Nunca antes fora capaz de ser líder. Acho que correu bem. Parece que juntos sabíamos de facto o que estávamos a fazer.» E acrescentou com um sorriso: «Soube-me bem ter a sensação de que estava a fazer alguma coisa.»

Liam, o aluno do sexto ano de Toronto, também descobriu uma maneira de fazer com que as atividades de grupo passassem a funcionar para ele, ao conseguir que os seus professores concordassem que os alunos podiam escolher os seus pares. Liam pôde assim trabalhar com amigos cujos conhecimentos e competências se complementavam. Por exemplo, à sua turma foi atribuído um projeto de grupo para fazer cartazes sobre as alterações climáticas. Liam e o seu melhor amigo, Elliot, e a amiga comum Meredith decidiram fazer um cartaz eletrónico com Photoshop sobre as quatro estações. «Elliot tinha a ideia de que o cartaz ficaria bem com fotos e com marcadores. A nossa amiga Meredith é muito inteligente e sabe muito sobre ciência. Eu percebo mais de Photoshop e computadores, por isso penso que todos juntos iremos realizar um grande projeto.» Ao escolherem um grupo congenial com diversos talentos, Elliot, Liam e Meredith criaram algo de que ficaram verdadeiramente orgulhosos.

# A EDITORA ATENTA

A capacidade de ouvir os outros pode não parecer o nosso modelo cultural de liderança forte, mas o poder de realmente ouvir os outros não deve ser desprezado.

Eis como Lucy, uma tranquila adolescente britânica, usou este poder para descobrir o seu próprio nicho como líder.

Quando Lucy transitou do ensino básico para o ensino secundário, começou a reconhecer as suas capacidades e forças únicas como introvertida e a acalentar a sua natureza tranquila. Começou a trabalhar com a revista da escola e em breve foi nomeada editora-adjunta. Entre os seus deveres contavam-se: revisora, apoio na escolha dos artigos a publicar e assegurar que os seus colegas de turma cumpriam os prazos. Lucy podia realizar a maior parte do seu trabalho sozinha e, quando precisava de enviar a um autor algum comentário sobre um artigo, ou recordar os estudantes da iminência dos seus prazos, podia fazê-lo via correio eletrónico. Este esquema adaptava-se perfeitamente ao seu temperamento.

Também havia reuniões de *brainstorming* com outros editores, mas eram todos amigos, por isso Lucy sentia-se à vontade para dar os seus contributos. Era nos encontros com a equipa completa da revista que ela ficava calada. Durante estas reuniões, todos os redatores, fotógrafos, editores e *designers* se sentavam em volta da mesa para darem as suas opiniões; era um grupo constrangedoramente grande, em comparação com as pequenas reuniões que mantinha com os editores.

Apesar de Lucy não falar muito, nem de longe ficava desligada. Como já dissemos, os introvertidos são frequentemente grandes observadores e Lucy não era exceção. Para além de escutar com atenção, observava todos, estudava as suas reações. Durante uma reunião prévia de planeamento, reparou que havia um conflito de interesses. A equipa tinha largamente concordado que a capa do primeiro número deveria ter a aparência de uma colagem num álbum de recortes ou de uma página do Tumblr, mas quando a *designer* gráfica apresentou o seu trabalho na reunião, Lucy verificou imediatamente que ela não tinha conseguido aquela intuição mais ou menos artística – havia poucas fotos e a fonte tipográfica utilizada era demasiado formal. Na reunião todos disseram que estava ótimo, mas à medida que Lucy olhava pela sala à sua volta, podia dizer pelos rostos dos outros estudantes que não estavam a ser sinceros. Ou estavam receosos em falar, ou eram demasiado simpáticos para serem críticos.

Depois da reunião, Lucy aproximou-se do editor executivo para discutir a situação e descobriu que a sua intuição estava certa – a equipa estava insatisfeita com o resultado final da capa, mas ninguém sabia como falar sem melindrar a *designer*. Então Lucy propôs um plano. Ela e o editor executivo reuniriam em privado com a *designer* para lhe fazerem uma crítica construtiva; iriam delicadamente sugerir que a capa tomasse outra direção. No fim, a *designer* aceitou as ideias e a primeira capa da revista teve um enorme sucesso junto dos professores e dos estudantes.

# SER BEM-SUCEDIDO NUM GRUPO

Continuo a preferir trabalhar sozinha – afinal, faz parte do meu trabalho como autora – mas, no entanto, acredito que trabalhar com outros num grupo é uma aptidão essencial na vida. E trabalhar em grupo é agora uma parte progressivamente importante da minha vida, agora que lançámos a Quiet Revolution!

Com os anos, aprendi a ser bem-sucedida em ambientes de grupo. Quero que consigas o mesmo sucesso – e que até te sintas confortável num grupo. Aqui tens algumas sugestões para te guiarem pelo caminho:

## EM SILÊNCIO, MAS NÃO CALADO: Não precisas de discutir com ninguém, nem de falar a cada momento, mas partilha os teus pensamentos de uma forma que te seja confortável. Talvez possas optar por conversas de um para um com elementos-chave do teu grupo. (Pode ser especialmente eficaz teres estas conversas antes de a reunião começar.) Ou podes tentar a comunicação escrita como alternativa a falar diante de um conjunto de pessoas. Cria um grupo de correio eletrónico ou mensagens em cadeia para que possas expor os teus pensamentos *sem* a pressão de teres de exprimir tudo verbalmente e ao vivo. Alguns professores podem criar um fórum *online* para os estudantes discutirem ideias, darem respostas, ou postarem os seus resultados. (Se os teus não fizeram isto, pensa em sugerir-lhes isso.)

**O PAPEL CERTO:** Lucy descobriu que conseguia contribuir melhor quando tomava notas, conduzia pesquisas e utilizava os seus poderes como observadora. Outros sentem-se melhor desempenhando o papel de advogado do diabo, ou ao facilitarem uma reunião do grupo perguntando pelas ideias dos outros, sem necessariamente avançarem as suas. Dedica tempo à procura do papel ou papéis que melhor se ajustam à tua personalidade. Nos bastidores o trabalho é tão importante como o que se passa sob as luzes da ribalta – repara nas indústrias do cinema e da tecnologia!

**NOVOS PARCEIROS:** Se reparares que trabalhas bem e te sentes à vontade com certas pessoas, procura colaborar com elas. Não quero dizer com isto que devas trabalhar apenas com amigos ou com pessoas que são exatamente como tu. Testa parcerias diferentes – pode ser um bom caminho para conheceres mais pessoas e podes descobrir que alguns dos teus colegas trazem à luz o teu lado de liderança assertiva.

**DEFENDE O SILÊNCIO:** Antes de qualquer discussão de grupo, sugere que todos usem alguns minutos para sugerir ideias silenciosamente. Isto tanto pode ajudar os membros introvertidos do grupo como os extrovertidos a fazerem uma pausa para enquadrarem os seus pensamentos, conduzindo depois as conversações com mais significado.

**PROCURA COMUNIDADES FORA DA ESCOLA:** Pratica a tua capacidade de trabalhar em grupo fazendo cursos extracurriculares ou seminários sobre assuntos ou atividades de que gostes. O voluntariado é também um excelente meio para te envolveres em projetos ou grupos que te digam alguma coisa.

**EXPERIMENTA O «BRAINWRITING»:** Este é um sistema consagrado pelo tempo no qual cada membro do grupo escreve uma ideia numa folha de papel ou num *post-it*. Depois cada pessoa coloca a sua nota num quadro para discussão imediata por todos. Esta simples técnica torna mais fácil a todos sugerirem ideias sem o receio de serem interrompidos ou criticados.

**COMO EVITAR SER INTERROMPIDO:** Se sentires que é usual interromperem-te quando falas, experimenta esta técnica. Assinala que queres continuar a falar erguendo a voz ligeiramente e levantando a mão com a palma voltada para fora. Este é um método educado que ainda serve para dizer: «Espera, eu ainda não acabei.»

**FALA NO INÍCIO:** Procura incentivar-te a falar no início de uma sessão de grupo. Depois de falares vais sentir-te mais à vontade e os outros vão começar a dirigir os seus comentários diretamente para ti. Vais sentir-te mais como parte integrante das coisas e isto vai ajudar-te a ganhar confiança.

# Capítulo Quatro
# LÍDERES TRANQUILOS

Todos os anos na escola de Grace, um grupo de vinte e cinco alunos do oitavo ano é selecionado para ajudar os estudantes mais novos a adaptarem-se ao ensino básico. São os chamados «líderes de pares». A irmã mais velha de Grace fora uma deles. Falara efusivamente sobre como a experiência de ajudar os alunos mais jovens fora impressionante e motivadora. No sexto ano, a própria Grace fora demasiado envergonhada para conseguir fazer novos amigos. Desejara que alguém a tivesse guiado nesse aspeto e agora acreditava que podia fazer isso para os caloiros do quinto ano. Pensava que conseguiria identificar os jovens introvertidos e dar-lhes a mão enquanto eles saíam das suas conchas. Decidiu seguir os passos da irmã e inscrever-se.

Foi intimidante, mas depois de preencher a papelada necessária, Grace sentiu-se pronta para o desafio. Os candidatos foram divididos em grupos de oito para serem entrevistados. Com base nos desempenhos dos alunos, os professores e diretores iriam selecionar a próxima colheita de líderes de pares. Grace sabia que concorria com muitos outros jovens do seu ano: quase quatro em cada cinco alunos queriam ser líderes de pares. Imaginou que as pessoas escolhidas seriam do género conversador, expansivas. Quando chegou a altura de ser entrevistada, ficou à espera com os seus colegas à porta da sala de conferências da escola. Tal como suspeitava, à exceção de um rapaz discreto que conhecia das aulas, todos eram aquilo que Grace chamava «extrovertidos gritantes».

Lá dentro, dois professores e o vice-diretor estavam sentados diante de uma grande mesa. Os jovens sentaram-se nos seus lugares, prontos para responderem às perguntas da entrevista, que estavam escritas em fichas. Alguns dos jovens ofereceram-se imediatamente para responder, mas Grace ainda não estava pronta. Percebeu que não precisava de ser a primeira a falar. Tinha aprendido com a sua experiência na aula de Inglês que se sentia mais à vontade respondendo depois dos outros. «Eu queria ouvir e prestar atenção», contou-nos. «Os jovens estavam todos a querer atropelar-se, mas eu responderia quando houvesse mais silêncio, quando ninguém estivesse a falar, ou no fim, quando todos já tivessem acabado.»

À medida que Grace se foi sentido mais à vontade e começou a ligar os seus pensamentos à discussão, reparou que o rapaz reservado da sua turma não dizia absolutamente nada. Por vezes parecia que ia dar alguma resposta, mas havia sempre alguém que começava a falar antes dele. Grace teve vontade de dizer aos outros para se acalmarem e darem uma oportunidade ao rapaz, mas não era esse o seu estilo. Em vez disso, ergueu a mão durante uma pausa na discussão e perguntou-lhe se queria falar. «Sim», respondeu ele, «mas estava nervoso.»

Para o ajudar, Grace ofereceu-lhe a pergunta da sua ficha, que interrogava sobre o que faria o aluno de forma diferente se pudesse voltar atrás e reiniciar o ensino básico. O rapaz respondeu e depois Grace contribuiu com a sua própria resposta, confessando que tentaria expandir-se mais e conhecer mais pessoas, em vez de se manter dentro do seu grupo restrito de três raparigas.

Quando a sessão de entrevistas terminou, Grace não tinha a certeza de como se saíra. Teria falado o suficiente para mostrar aos professores que podia ser uma líder? No entanto, alguns dias depois, soube que fora selecionada. E essas não eram as únicas boas notícias. Graças aos esforços dela, o rapaz reservado do seu grupo nas entrevistas também fora nomeado líder de pares. Ao ajudar um seu par, Grace dera mostras de verdadeira liderança.

## O QUE É UM LÍDER?

Quando andei em viagem pelos Estados Unidos a visitar diferentes escolas privadas e públicas, reparei em duas tendências problemáticas: a primeira era que muitos educadores pareciam valorizar a liderança como uma qualidade que *todos* os estudantes deviam ter – embora muitos preferissem viver autonomamente e traçar os seus próprios caminhos. A segunda era que a liderança, quer conscientemente quer não, era em geral definida como extrovertida. Os jovens com as chamadas aptidões de liderança eram normalmente sociáveis e expansivos. Quando os jovens mais tranquilos e silenciosos procuravam papéis de liderança em projetos de grupo ou na associação de estudantes, acabavam por ser frequentemente encarregados de trabalho secundário, como tomar notas nas reuniões ou assistir os outros.

Mas a liderança não exige ser-se altamente sociável ou ansioso por atenção. Acredito que chegou o momento para nos focarmos no poder do líder tranquilo. Os líderes mais eficientes não são motivados pelo desejo de controlar os acontecimentos ou por serem o centro das atenções. São motivados pelo desejo de avançar ideias e modos de olhar o mundo, ou de melhorar a situação de um grupo de pessoas. Estas motivações tanto pertencem a introvertidos como a extrovertidos. Podes atingir estes mesmos objetivos – podes ser inspirador e motivador – sem comprometer a tua maneira de ser tranquila e silenciosa.

No desporto, nas empresas, na sala de aula, há tantos tipos diferentes de liderança. Os jovens atrevidos, audaciosos e populares captam frequentemente mais atenção, mas não te deixes iludir pelas aparências! Líderes tranquilos ascenderam a algumas das mais altas posições de poder no mundo. Pensa em Eileen Fisher, a *designer* de moda e empresária tímida, introvertida, com extraordinário sucesso. A introversão de Fisher inspira o seu trabalho criativo – ela diz que aprendeu a desenhar roupas confortáveis que a fizessem sentir-se mais à vontade na sua própria pele.

Como líder introvertida, Fisher encontra-se em excelente companhia. Bill Gates, o génio que transformou a Microsoft numa das mais lucrativas e poderosas empresas do mundo e que entretanto lançou a Fundação Gates – uma das organizações filantrópicas mais inovadoras do planeta – é outro introvertido confesso, que inclusivamente referiu que a minha conferência TED foi uma das suas preferidas de sempre! Outro notável introvertido é Warren Buffett, o investidor multimilionário, que é respeitado como um silencioso e profundo pensador, conhecido por trabalhar com os outros e também por se sentar à secretária durante horas, concentrado em documentos financeiros. Até Martha Minow, reitora da minha velha Faculdade de Direito, onde a participação oral é essencial, diz ser uma forte introvertida.

## UMA LÍDER DOS DIREITOS HUMANOS

Um dos exemplos mais perenes e inspiradores de uma líder introvertida na história da América é o de Eleanor Roosevelt. Eleanor cresceu como uma criança dolorosamente tímida e cuidadosa, com vergonha da sua aparência e do seu temperamento tranquilo. A sua mãe, uma bonita senhora da alta sociedade americana, dera a Eleanor o diminutivo de «Granny» («avozinha») devido ao seu comportamento. Quando Eleanor casou com um político em ascensão, Franklin Delano Roosevelt, um seu primo afastado, a família e os amigos logo disseram que Eleanor não era uma mulher do tipo ágil e espirituoso com que Franklin esperava casar-se. Era exatamente o oposto. Eleanor não se ria com facilidade, aborrecia-se com conversas fúteis, era ponderada e tímida. E era ferozmente inteligente.

Em 1921 Franklin Roosevelt contraiu poliomielite. Foi um golpe terrível, mas Eleanor manteve vivos os contactos com o Partido Democrata enquanto ele recuperava, concordando até em falar numa sessão de angariação de fundos para o partido. Falar em público aterrorizava-a e não era uma boa oradora – tinha uma voz muito aguda e ria nervosamente nos momentos menos indicados. Mas treinou-se para o evento e conseguiu fazer o discurso.

Posteriormente, Eleanor continuava insegura, mas começou a trabalhar para procurar reparar os problemas sociais que via à sua volta. Tornou-se uma campeã dos direitos civis, dos direitos da mulher e dos direitos dos imigrantes. Em 1928, quando Roosevelt foi eleito governador de Nova Iorque, ela era a diretora do Gabinete de Atividades das Mulheres do Partido Democrata e uma das pessoas mais influentes na política americana.

Franklin Roosevelt foi eleito presidente em 1933. Estava-se no auge da Grande Depressão e Eleanor Roosevelt viajou por todo o país para ouvir as dramáticas histórias de vida de muitas pessoas. Quando regressava a casa depois das reuniões, frequentemente contava a Franklin o que tinha visto e instava-o a mudar as coisas. Ajudou a criar os programas governamentais de apoio aos mineiros esfomeados de Appalachia. Pressionou o marido para incluir mulheres e afro-americanos nos seus programas que procuravam repor o emprego para os Negros.

A tímida jovem que se aterrorizava por falar em público passou a adorar a vida pública. Eleanor Roosevelt foi a pioneira entre as primeiras-damas a dar uma conferência de imprensa, a falar numa convenção nacional, a escrever uma coluna para um jornal e a falar pela rádio. Mais tarde foi a delegada dos Estados Unidos nas Nações Unidas, onde fez uso das suas aptidões políticas e firmeza para conseguir a promulgação da Declaração Universal dos Direitos Humanos.

Nunca ultrapassou a sua tranquila vulnerabilidade; toda a sua vida sofreu dos «humores de Griselda», como lhes chamava (a partir do nome de uma princesa de uma lenda medieval que se retirara da corte em silêncio), e lutou por desenvolver uma pele «tão rija como a couraça do rinoceronte». «Penso que as pessoas que são tímidas permanecem tímidas para sempre, mas aprendem a ultrapassar a sua timidez», afirmou. Mas foi a sua sensibilidade que lhe tornou mais fácil relacionar-se com os oprimidos e advogar pela sua causa.

# PRESIDENTE DA ASSOCIAÇÃO DE ESTUDANTES

Davis, o rapaz tímido que conhecemos no Capítulo Um, seguiu as pegadas destes líderes tranquilos. Embora tivesse sentido enorme pressão quando entrou no ensino básico, encontrou uma maneira de equilibrar o tempo que passava com os seus colegas e o tempo que passava sozinho. Quando a solidão o aborrecia, juntava-se à equipa de Matemática e, graças à capacidade de se concentrar intensamente nos problemas durante muito tempo, distinguia-se na competição. A paciência era outra das suas forças. À medida que ia consolidando amizades com outros jovens da equipa, passou a sentir-se mais à vontade ao revelar-se e ao partilhar as suas ideias sobre como o grupo podia trabalhar conjuntamente e melhorar.

Quando Davis chegou ao oitavo ano, ele era um dos capitães da equipa. Surpreendeu-se por descobrir que ser líder o inspirava e que era bom como tal. Descobriu que uma coisa boa que ser introvertido lhe proporcionava, era ser um excelente observador. Significava isso que ele podia reparar e envolver-se com o que os outros sentiam, ou procurar compreender de onde vinham. À medida que começou a notar que havia mudanças que precisavam de se fazer no conjunto da escola, decidiu que queria ser ele a fazer com que as mudanças acontecessem. Por isso quando o diretor de turma pediu um voluntário para participar na associação de estudantes, Davis respirou fundo e fez aquilo que normalmente evitava fazer nas aulas. Ergueu a mão.

Na primeira reunião, foi óbvio que muitos dos outros jovens na associação de estudantes eram populares. Rindo e conversando à volta da mesa, pareciam completamente à vontade no grupo.

Davis interrogou-se sobre se não teria cometido um erro. A única pessoa que conhecia na sala era a sua prima Jessica, uma aluna do sétimo ano que era membro ativo da claque da escola.

Jessica conhecia Davis melhor do que ninguém na escola. As famílias dos dois jantavam juntas todos os fins de semana. Ela sabia que embora o seu primo fosse silencioso e tímido, não queria permanecer nos bastidores. No fundo, ele queria fazer a diferença e ela acreditava que ele tinha capacidades para tal. Por isso, quando chegou a altura de eleger um presidente da associação de estudantes, pediu ao primo para concorrer. Davis pensou que ela não estava boa da cabeça. A rapariga mais popular da escola já estava a planear candidatar-se; a sua vitória estava quase garantida. Como uma das poucas pessoas de cor na sua escola predominantemente branca, Davis tinha-se muitas vezes sentido um estranho. À medida que refletia sobre a eleição para a associação de estudantes, parecia-lhe muito pouco provável que os estudantes votassem nele – um jovem tímido, vietnamita-americano.

Jessica escutou-o mas incentivou-o a confiar nela. O pior que podia acontecer, dizia ela, era ele perder e depois disso todos iriam esquecer que ele tinha concorrido. Davis acabou por concordar e à medida que começou a planear o que faria se fosse eleito presidente, a sua prima também começou a trabalhar. Ajudou-o a colocar cartazes em toda a escola.

«Todos perguntavam: "Quem é este tipo?"», recorda Davis. «Eles sabiam que eu era o cromo, mas não sabiam muito mais.»

Antes da eleição, os candidatos proferiram pequenas intervenções para cada turma. Davis estava aterrorizado por ter de enfrentar as turmas e falar. Todavia, Jessica acompanhou-o e lembrou-lhe que ele sabia o que estava a fazer. A opositora de Davis parecia confortável frente aos colegas. O seu programa era bastante simples: prometia mais eventos sociais, como bailes e concursos de talentos. As ideias de Davis para a escola eram mais específicas. Afinal, ele passara os últimos dois anos a observar a escola e a reparar nas coisas que podiam ser melhoradas. O seu discurso foi dedicado a todas as propostas que ele planeava introduzir se fosse eleito presidente.

O refeitório era um dos temas principais. A escola estabelecia que as turmas tinham que se sentar juntas; trocar de mesas para estar com amigos de outros anos ou de outras turmas era proibido. Davis notara como isto era frustrante para muitos jovens e propunha que, como presidente, encorajaria o diretor a deixar os alunos sentarem-se onde quisessem, desde que se comportassem bem.

Também reparara que os estudantes seus colegas tinham a tendência de trocar perguntas entre eles sobre a matéria antes de as apresentarem aos professores, por isso propunha um sistema de tutoria entre pares que permitiria aos estudantes trocarem conhecimentos. Também avançou com outras ideias. Davis estava receoso enquanto se deslocava de turma para turma, mas divulgou a sua mensagem. E os seus colegas ouviram-no.

No final das intervenções junto das turmas, tanto Davis como a sua oponente tinham feito um bom trabalho. Ela era carismática e havia captado a atenção das audiências. No entanto, quanto mais ela e Davis falavam para os colegas, mais claro ficava que as ideias de Davis estavam mais bem desenvolvidas e tinham mais probabilidades de serem bem-sucedidas.

Os resultados da eleição foram anunciados numa manhã de sexta-feira. O rapaz silencioso que regressara a casa depois do seu primeiro dia de aulas com pastilha elástica no cabelo era o novo presidente da associação de estudantes!

Davis venceu porque aprendera a confiar nas suas forças naturais. Concentrara-se na substância, não no estilo. Em vez de procurar ser tão sociável como o estudante mais popular da escola, preocupou-se em ser um grande candidato. Abordou assuntos determinantes, as coisas que notara como observador. Não se deixou dominar pelo desconforto. Foi corajoso ao ponto de avançar com as suas ideias e todos perceberam isso.

## LÍDERES COMO OUVINTES

Enquanto adolescente nunca fui a chamada «líder natural», mas também não era uma submissa. Embora fosse tímida, tinha um sentido ferozmente determinado quanto ao meu próprio caminho no mundo. Escrever já era a minha paixão, por isso podia ter tentado ser editora do jornal da escola, mas este tinha uma equipa enorme. Não era capaz de me

imaginar a dirigir tantas pessoas. Além disso, o que eu realmente adorava era a escrita criativa, não o jornalismo. Assim,
tornei-me editora da revista literária da escola, uma publicação pequena e mais pessoal. Os jovens que escreviam para a
revista eram mais artísticos e informais do que o grupo de
jornalistas; eu sentia-me à vontade com eles. E entre o conjunto destes excêntricos jovens, aprendi que podia conseguir
que as coisas se fizessem de acordo com a minha maneira
tranquila. As pessoas estavam dispostas a ouvir-me e a dar
espaço ao meu estilo de liderança.

Uma delas escreveu no meu livro de curso no final do ano
como apreciara ter uma líder que podia respeitar. As suas
palavras surpreenderam-me – foi a primeira vez que me vi
como líder.

Laurie, uma adolescente atlética e ambiciosa de Westches-
ter, Nova Iorque, descreve como também cultivou um modo
de liderança igualmente tranquilo. Laurie é a clássica introvertida. Quando os pais a levaram a um jogo de basebol no
Yankee Stadium, desligou-se completamente dos milhares de
adeptos eufóricos e mergulhou na leitura de um romance. Por
muito que se esforçasse por se entusiasmar pelas atividades
de grupo, não conseguia envolver-se com paixão. Sentia este
lado da sua personalidade como um defeito; tinha vergonha
de si mesma e queria criar uma identidade que fosse mais expansiva e sociável. «Eu não queria dizer que era introvertida»,
recorda, «sentia isso como uma palavra negativa.»

No entanto, Laurie também se achava outras coisas para
além de introvertida. Também acreditava ser uma líder. No

seu íntimo, sabia que estas duas identidades não eram contraditórias. No início do ensino secundário, decidiu que era a sua vez de ser capitã da sua equipa de atletismo. Tornar-se capitã requeria um procedimento: cada estudante que se candidatava ao papel era entrevistado pelos treinadores e partilhava a sua perspetiva sobre como melhorar a equipa.

Laurie já andava a observar a equipa há dois anos, considerando precisamente esta questão. Quando se encontrou com os treinadores, propôs algumas ideias diferentes. Tinha reparado que a equipa podia ser mais unida. Eram oito raparigas e algumas delas nunca interagiam, uma vez que as suas provas eram tão diferentes, desde as corridas de fundo ao salto com vara. Laurie perguntava-se se as suas colegas de equipa não teriam melhor desempenho nos torneios se entre elas houvesse mais apoio mútuo. Assim, uma das primeiras propostas de Laurie foi que as raparigas se fortalecessem um pouco como equipa antes do início de cada treino. Também propôs que fizessem alongamentos ou abdominais em grupo, já que era algo de que todas afinal precisavam. E muito embora Laurie fosse mais dada a reuniões sociais mais pequenas e íntimas, sugeriu que alguns jantares de equipa, projetos em grupo de serviços comunitários e saídas sociais fora do atletismo poderiam contribuir para unir as raparigas.

As ideias de Laurie fizeram sentido para os treinadores, que viram que ela tinha andado a prestar uma cuidada atenção ao assunto. Selecionaram-na como uma das capitãs, e ela permaneceu nesse papel até terminar o ensino secundário. Não procurou mudar a sua personalidade e forçar-se a ser uma líder espalhafatosa. Liderou pelo exemplo, primeiro e acima de tudo. Para além de guiar as suas colegas de equipa na evolução do grupo, publicava regularmente na página do Facebook da equipa os objetivos que se propunham. Queria que as atletas conseguissem as suas melhores marcas. A equipa era boa e ela encorajou-as a lutarem pelo campeonato.

Laurie nunca foi do estilo de liderar com gritos de incentivo à equipa; não era a sua praia. Deixou isso para as suas cocapitãs. Entretanto, contactava com as colegas de equipa, principalmente com as mais jovens, num plano individual. Trocava impressões com elas antes e depois dos treinos, respondia às perguntas que lhe colocavam e revia o que tinha feito naquele dia. Quanto mais conhecia aquelas raparigas e o que as motivava, mais fácil era ajudá-las a terem sucesso. Antes dos torneios, Laurie e as suas cocapitãs reuniam-se com a equipa para falarem sobre estratégias, desde quantas horas deviam dormir na noite anterior à prova, aos tipos de alimentos que lhes podiam dar mais energia. Se os membros da equipa tivessem sucesso individualmente, a equipa também o teria. Embora Laurie não fosse a que falava mais alto, reparou que quando falava as suas companheiras a escutavam.

«Quando nos aproximamos e passamos mais tempo juntas, as pessoas começam naturalmente a respeitar-nos mais como capitã e como líder. E então, quando temos de orientar os treinos, as pessoas escutam-nos. Veem o que estamos a fazer. Não precisamos de chamar a sua atenção aos berros e aos gritos.»

As suas colegas de equipa apreciavam os benefícios do seu estilo pessoal de liderança, mais reservado, e Laurie foi

capitã durante quatro épocas. Como sénior viu cumprirem-
-se os efeitos dos seus esforços quando a equipa teve uma
série de sucessos sem precedentes. «O programa de atletismo
realmente ganhou asas», diz-nos. «Batemos uma série de re-
cordes da escola e ganhamos duas vezes o campeonato. Pela
primeira vez, as raparigas entravam na faculdade pelo atletismo.» Incluindo Laurie que correria na equipa de Harvard.
Era claro que a equipa devia parte do seu sucesso à capitã
tranquila que deu espaço para se ouvir a voz de todas.

## LIDERAR SEM GRITAR

Líderes tranquilamente poderosos têm-nos guiado ao longo
da história. E tal como exemplifica a história de Davis, a
nossa própria força tranquila brilhará, mesmo entre os nossos pares mais ruidosos e animados. Quando leres as sugestões que se seguem, recorda as palavras de Sir Winston
Churchill, primeiro-ministro britânico durante a Segunda
Guerra Mundial: «Precisamos de coragem para nos levan-
tarmos e falar; coragem é também o que é preciso para nos
sentarmos e ouvir.»

Andas à procura de um papel de liderança para ti mesmo?
Eis um conjunto de conselhos para começares o teu caminho:

**APROVEITA O QUE TENS DE BOM:** Davis ficou aterrorizado
quando teve de falar frente aos seus colegas, mas
em vez de procurar ter graça, ser sociável, concen-

trou os seus discursos nas razões substantivas da sua candidatura. No fim, os colegas valorizaram o conteúdo das suas intervenções – e a sua coragem – mais do que os sorrisos da sua concorrente.

**SEGUE AS TUAS PAIXÕES:** Liderar pessoas já é difícil, mas procurar fazê-lo ao serviço de uma causa ou objetivo que signifique pouco para ti, é praticamente impossível. Seja uma causa de caridade ou um desporto de equipa, segue a tua paixão e deixa que os outros vejam o quanto te preocupas com elas.

**LIGA-TE E ESCUTA:** Os introvertidos são especialistas em forjar profundas relações pessoais. Somos ótimos ouvintes. Estes dois traços podem transformar-te num líder poderoso. Quando as pessoas veem que te preocupas com o que elas pensam e sentem, elas têm maior propensão para te seguir. Se pensas que não te vais destacar em grandes grupos ou no pódio, constrói lenta e firmemente as tuas alianças, uma conversa empática de cada vez.

**DÁ PODER AOS OUTROS:** A ditadura raramente funciona; ninguém gosta de ser maltratado. Líderes generosos asseguram que os outros tenham um sentido de propósito, conferindo-lhes papéis-chave, pedindo-lhes opiniões e agindo de acordo com elas quando estas fazem sentido. Como observador e ouvinte,

# DE QUE PRECISO PARA LIDERAR

estarás unicamente sintonizado em quais os papéis que se ajustam às pessoas do teu grupo.

**NÃO TENHAS RECEIO DE MERECER:** O facto de seres tranquilo não significa que não sejas forte. Não significa que as pessoas não te seguirão. Laurie acreditou em si como líder, por isso lutou pelo papel de capitã e provou aos seus treinadores que eles estavam com a razão ao selecioná-la.

**DESCOBRE UM MODELO:** Não importa quantas vezes eu te assegure que os líderes tranquilamente poderosos existem, isso talvez não tenha grande significado para ti sem conheceres um exemplo em carne e osso. Pensa numa pessoa na tua vida – seja alguém que conheces pessoalmente, ou uma personagem famosa que admiras à distância – que seja um líder forte e que tenha um temperamento semelhante ao teu. Isto vai mostrar-te que é possível e podes até tentar trazer mentalmente até ti essa pessoa, quando não estiveres a sentir-te seguro de ti.

**LIDERA PELO EXEMPLO:** Este é um dos princípios da liderança e para os mais tranquilos introvertidos é fácil de seguir. Mostrar aos teus colegas de turma, de equipa, ou aos teus amigos que és dedicado e diligente pode ser tão inspirador como um discurso vibrante.

# SEGUNDA PARTE
# CONVIVER

# Capítulo Cinco
# AMIZADE TRANQUILA

Todos nós conhecemos pessoas encantadoras e espalhafatosas que podem entrar numa sala cheia de desconhecidos e sair uma hora mais tarde com duas ou três novas almas gémeas. Estes jovens e adultos são apontados como o nosso ideal social, como se supostamente todos tivessem que ser assim. Porém, para muitos introvertidos, a conversa instantânea pura e simplesmente não é natural. Em geral preferimos algumas amizades mais chegadas a algumas dezenas de conhecimentos.

A escola pode parecer um aquário – parece que tudo o que fazes está em exposição para os outros verem, julgarem e talvez até para criticarem. Encontrar amigos que te fazem sentir feliz e à vontade nem sempre é fácil. Uma adolescente do Ohio chamada Gail descreveu a sua ideia de amizade deste modo: «Tenho três bons amigos e sou extremamente próxima de todos eles. A eles, posso contar-lhes tudo. Conheço outras pessoas com quem converso e me divirto, mas sou muito explícita acerca de quem chamo amigo. Um amigo é alguém que eu procuro sobre quase tudo. É alguém que vem até mim, como eu vou até ele.»

Julian e o seu melhor amigo, Andre, que vai para outra escola, partilham tudo. Não há nada de constrangedor entre eles. Saírem juntos ajusta-se ao temperamento introvertido e discreto de Julian. «Às vezes, queremos simplesmente ficar em casa a ver vídeos disparatados no YouTube, mas acima de tudo gostamos de conversar sobre as coisas e aconselharmo-nos mutuamente e parece sempre que o tempo voa. Eu penso que ele é sábio, que pode ser uma coisa estranha para se dizer de um jovem, mas acho que é verdade.»

Para surpresa de Julian, a sua amizade com Andre abriu-lhe caminho para outras grandes amizades. Inicialmente sentiu-se inquieto acerca de conhecer outros amigos de Andre. E se não gostassem dele ou o achassem pouco falador? Mas, sucedeu que eles tinham tanto em comum com ele como com Andre. «Ainda mantemos o grupo bem pequeno. Há ocasiões em que pomos música e toda a gente dança, mas não é como naquelas festas de dança enormes. Limito-me a andar com pessoas de quem gosto. Há alturas em que estamos só eu e o Andre, outras vezes somos dez pessoas.»

## FALSAMENTE ANIMADA

Lucy, a tímida adolescente britânica que conhecemos antes, procurou arduamente ter uma personalidade animada. Andava com grupos de raparigas na escola que partilhavam os seus interesses por leitura e biologia. Mas algumas delas eram os seus polos opostos e Lucy teve por vezes que lutar para se relacionar com elas. Faziam tudo em grupo, desde estudar a frequentar festas. Lucy acompanhava-as mas preferia os momentos em que ficavam em casa, simplesmente a conversar ou a sonharem acordadas, em grupo ou apenas aos pares. Apesar das diferenças, Lucy sentia-se segura no seio destas amizades. O seu lado introvertido era uma mescla bem acolhida no grupo, pois muitas vezes ela conduzia as conversas para direções com maior significado e profundidade.

Contudo, quando tinha catorze anos, Lucy começou a sentir que precisava de mais tempo só para si e, por isso, começou a refugiar-se na biblioteca durante a hora de almoço. Nunca se tinha definido como introvertida ou soubera sequer o que queria dizer a palavra, mas estava cansada de ser gregária. Almoçar sozinha era um alívio.

No entanto, um dia ia a sair da biblioteca, encaminhando-se para a sala de aula, quando se cruzou com as amigas no corredor. Ao todo eram nove e uma delas deu um passo em frente: «Queremos falar contigo», disse ela sombriamente. Conduziu Lucy até ao pátio onde todas se sentaram em círculo à volta de Lucy.

«Porque andas a evitar-nos?», perguntou-lhe a amiga, diretamente. «É muito mau da tua parte andares a vaguear por aí à hora do almoço e não falares connosco, e quando vamos à tua procura e te encontramos na biblioteca és muito abrupta. Nós somos tuas amigas. Merecemos melhor.»

As palavras atingiram-na no seu íntimo. Lucy percebeu que a sua amiga provavelmente tinha razão acerca de ela estar a ser brusca com elas. Detestava ser interrompida enquanto estava a ler e, portanto, podia de facto tê-las afastado. Mas não tinha intenção de as ofender. E agora ali estava aquele grupo de nove raparigas sentadas a olhar para ela, algumas com bastante azedume.

«Eu precisei simplesmente de tempo só para mim», explicou, «não estou a evitar-vos e peço desculpa se fui indelicada.»

Uma das raparigas apresentou-lhe as regras que teria de respeitar se quisesse continuar a fazer parte do grupo. A primeira era que Lucy teria de passar tempo com elas à hora do almoço. A segunda era que teria de lhes dizer quando queria ir para a biblioteca.

Esta experiência abalou realmente Lucy. Apercebeu-se que algumas destas jovens não eram na verdade suas amigas: se ela não fosse falsamente animada frente a elas, parecia que já não a queriam no grupo. Tinha andado a fingir ser outra pessoa, por isso era natural que elas se sentissem confusas quando começou a refugiar-se à hora do almoço.

Com o tempo, o relacionamento com quatro das raparigas desvaneceu-se, mas os seus laços com as outras cinco que se mantiveram ao seu lado reforçaram-se. Algumas delas começaram até a interceder por ela nas discussões em grandes grupos. Canalizavam as atenções para ela anunciando: «A Lucy tem algo para dizer.» Já não tinha que se esconder ou justificar. Já não tinha que fingir.

# «INAMIGAS»

Uma bailarina introvertida chamada Georgia teve uma discussão ainda mais perturbadora com raparigas que supostamente seriam suas amigas. Desde a escola pré-primária fora advertida que precisava de ser mais faladora. Essas observações permaneceram com ela à medida que cresceu. Nunca pensara em si como tímida ou silenciosa, mas uma vez que os seus colegas e professores continuavam a salientar isso, partiu do princípio que devia ser uma parte importante da sua identidade. E também não muito positiva. «Haverá algo de errado comigo?», pensou. Possuía muitos outros traços de personalidade: era amistosa e atlética. Porque é que as pessoas só falavam acerca de ela ser tão calada? Talvez estivesse a escapar-lhe alguma coisa.

No sexto ano, ia de boleia para escola com um grupo de raparigas de quem era amiga há anos. Sempre apreciara a sua dinâmica alegre e disparatada, mas agora que estavam no ensino básico, as conversas começavam a tornar-se irritantes. Subitamente, serem fixes e populares passara a ser a sua prioridade número um, e isto deixou Georgia desprevenida. E começaram a fazer comentários sobre ela não ouvir a música certa ou não escolher a roupa adequada. Quando começou a receber telefonemas com brincadeiras de mau gosto, suspeitou imediatamente que elas seriam as culpadas. Negaram, mas Georgia sabia que não podia acreditar nelas. «Elas não eram boas amigas», recorda Georgia, «mas eu não tinha mais ninguém e não queria ficar sozinha.»

Para além de outras afrontas e desconsiderações, as raparigas falavam sobre como ela era demasiado calada. Um dia, antes das aulas, duas delas desafiaram-na a gritar. «Eu vou gritar», disse uma delas, «porque não gritas tu também?» «Não quero», respondeu Georgia. Porque queriam que ela gritasse? Era obviamente apenas para a fazerem sentir-se desconfortável!

As duas raparigas começaram a gritar à vez a plenos pulmões. Georgia não as acompanhou. Quis parecer divertida, mas só lhe apeteceu chorar.

Infelizmente este tipo de relação abusiva é comum no ensino básico, sobretudo entre raparigas. Isto é uma generalização e não uma regra perentória, os rapazes resolvem frequentemente as suas diferenças com lutas ou competições físicas, usando os seus punhos ou o pátio do recreio. As raparigas recorrem mais usualmente a algo chamado «agressão relacional». Algumas raparigas usam as suas relações com outras como armas para intimidar e minimizar as supostas amigas, e tudo em nome da popularidade. A escritora Rachel Simmons faz uma brilhante crónica desta epidemia no seu livro *Odd Girl Out*, citando numerosos casos de jovens que foram profundamente magoadas por esta forma de *bullying*.

Claro que as raparigas não são as únicas a praticar este tipo de hostilidade. No quinto ano, um discreto rapaz chamado Raj ficou radiante quando foi convidado para passar para um nível mais elevado na disciplina de Matemática. Ele adorava Matemática e o convite para passar para uma aula mais adiantada foi um verdadeiro impulso para a sua confiança. Por isso, os pais ficaram chocados quando ele lhes disse que poderia ficar na aula normal.

Mais tarde, descobriram que alguns rapazes o tinham avisado que se ele passasse para a aula mais avançada, deixariam de ser seus amigos. De início, Raj não queria arriscar perder os amigos. Mas depois, por si mesmo, chegou a uma decisão diferente. Adorava Matemática e queria frequentar a aula. Se os rapazes não o apoiassem, isso queria dizer que eles não eram realmente seus amigos. Frequentar aquela aula era um impulso de confiança muito maior do que andar com aqueles supostos amigos.

A agressão relacional é especialmente poderosa quando é usada com jovens introvertidos, tanto rapazes como raparigas. Frequentemente, os jovens introvertidos receiam não ser capazes de fazer amigos e por isso prendem-se a amizades abusivas enquanto podem. Muitas vezes permanecem em grupos que minam a confiança, por terem medo do desconhecido, pensando que um mau amigo é melhor do que amigo nenhum.

Felizmente, muitos jovens conseguem reunir a coragem suficiente para resistir a este tipo de pressão social. Afastares-te dos maus colegas que te intimidam exige muita coragem – mas acredita-me, tu és capaz disso.

Por fim, Georgia também encontrou essa coragem. De início, não queria perder aquelas amigas e por isso sentava-se com elas todos os dias ao almoço embora muitas vezes elas aproveitassem esse momento para troçar dela. Porém, no final do sexto ano, decidiu que era de mais. Já suportava crueldade há demasiado tempo e jamais iria permitir que isso tornasse a acontecer. Disse aos pais que não queria voltar a ir para escola de carro partilhado com aquelas raparigas. E tão-pouco ia manter contacto com elas.

O processo de fazer novas amizades afigurava-se impossível. Parecia que toda a turma fora dividida em grupinhos impenetráveis e, agora que se afastara das suas supostas amigas, Georgia estava por sua conta. Posteriormente, na aula de Ciências do sétimo ano, foi colocada num lugar ao lado de uma rapariga chamada Sheila. Não se conheciam muito bem e de início não falaram muito. Mas um dia Sheila começou a rir-se com algo que o professor disse, e por alguma razão Georgia também começou a rir-se. Pouco depois nenhuma delas conseguia parar. O professor teve que lhes dizer para se calarem e Georgia ficou intimamente encantada. Fora a primeira vez que ouvira *aquilo* a um professor!

Depois daquele episódio as duas começaram a conversar mais, rindo das tolices de cada uma na aula e trabalhando juntas nas suas tarefas no laboratório. Através de Sheila, Georgia começou também a fazer amizade com outra rapariga. As três começaram a jogar basquetebol e ténis juntas. Tinham conversas banais mas também conversas sérias e falavam sobre o que gostariam de fazer quando crescessem, e como tinham esperança de ajudar as pessoas e contribuir para um mundo diferente.

«Não éramos tão populares como no meu anterior grupo», diz Georgia, «mas percebi que a imagem não era tudo e que a popularidade afinal não interessava nada. Não só me sentia aceite pelo que era como também me sentia apreciada. Fizera amigas genuínas.»

O oitavo ano foi ainda melhor. Georgia consolidou os seus laços com as novas amigas e também se aproximou mais de outras. À medida que crescia começou a redefinir a sua ideia de amizade.

Compreendeu que o seu lado tranquilo não tinha de ser um entrave à sua capacidade para constituir novos laços. De facto, descobriu que desde os *courts* de ténis aos salões de dança, o oposto provou ser verdade.

«Ser tranquila foi uma força porque fui capaz de construir algumas boas amizades em vez de ter uma mão-cheia de amizades superficiais», confessa. «Fui capaz de partilhar os meus sentimentos e pensamentos e ligar-me a um nível mais profundo com as minhas amigas.»

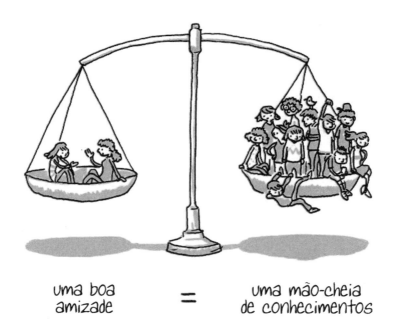

uma boa amizade = uma mão-cheia de conhecimentos

# SÓ UM OLÁ

Se estás a esforçar-te por fazer amigos, isso é perfeito. É preciso tempo para encontrar os amigos certos, aqueles que te irão apoiar e valorizar. Hailey, do Michigan, era tão tímida que frequentemente tinha de se esforçar para dizer apenas olá. No quarto ano, decidiu que ia esforçar-se por saudar mais pessoas. Apenas um olá rápido, não tinha sequer que começar uma conversa completa.

E, no entanto, este pequeno ato de força de vontade produziu resultados surpreendentes. Uma das primeiras pessoas a quem Hailey se obrigou a dizer olá foi a uma rapariga que acabara de se mudar para a cidade. «Dirigi-me a ela, disse-lhe olá e começámos a falar, para descobrirmos que tínhamos imensas coisas em comum», recorda. Cinco anos depois, as duas raparigas ainda eram amigas e partilhavam um quarto num colégio interno das proximidades.

Quando Davis terminou o ensino secundário, preocupava-o o facto de não saber como ia fazer amigos na universidade. Decidiu que tinha de arranjar maneira de quebrar o gelo. Durante o verão, treinou alguns truques de magia. «Pensei que se não sabia como havia de me dirigir às pessoas, podia fazer magia, e isso acabaria por proporcionar conversa», diz-nos. E de facto, quando Davis chegou ao *campus*, levava consigo o seu baralho de cartas e apresentou-se aos novos colegas pedindo-lhes para escolherem uma carta. Depois fazia o truque e, a maior parte das vezes, conseguia estabelecer conversa com o novo colega. «Na verdade foi através deste processo que conheci alguns dos meus melhores amigos», confessa.

Estas interações reforçaram a sua confiança, e Davis acabou por chegar à conclusão que estava a usar as cartas como uma muleta para um mal que já não existia. Os truques de magia equivaliam a ter por perto a sua expansiva prima Jessica a incentivá-lo durante a eleição no oitavo ano. No final do primeiro ano na universidade, já não precisava deles. Se queria conhecer alguém, avançava e apresentava-se.

## OUVINTES NATURAIS

O que Hailey e Davis podem não ter compreendido é que nós, os introvertidos, temos uma capacidade especialmente útil para fazer novos amigos: somos grandes ouvintes. Já alguma vez estiveste numa situação social em que simplesmente não tinhas disposição para falar? Eu já. As conversas fúteis podem arrasar os nervos. Eu sinto-me como se estivesse em bicos dos pés, a procurar dizer a próxima coisa genial que houver para dizer. Além disso, falar sobre o tempo ou sobre mexericos não me dá nenhum prazer. Não há nada de mal nisso, mas normalmente anseio por mais. É quando passo a ser a entrevistadora.

Muitos introvertidos dizem que quando se sentem isolados no meio de outros, conseguem começar uma conversa desviando ou afastando a atenção para outras pessoas ou outras coisas. Se me sinto especialmente introvertida num momento em que devia estar a ser conversadora, começo a fazer perguntas ao meu interlocutor sobre ele mesmo. Deixa falar as pessoas mais conversadoras. Provavelmente vais gostar na verdade de escutar as suas respostas. As histórias das outras pessoas são frequentemente mais interessantes do que podes esperar e aprenderás muito mais a escutar do que a falar.

Claro que há que ter o cuidado de não deixar que a conversa fique muito desigual; as pessoas com quem falas querem ser ouvidas, mas não ser submetidas a um interrogatório. Portanto, não tenhas receio de introduzir os teus próprios pensamentos e opiniões.

Muitos jornalistas dizem que descobriram a sua vocação exatamente por este processo. Para Ira Glass, apresentador de *This American Life,* um popular programa de rádio e *podcast,* uma grande parte do seu trabalho é conversar com as pessoas. Nas suas entrevistas, ele habilmente coloca as pessoas à vontade e consegue que elas contem as suas histórias, sentimentos e convicções. Contudo, Ira diz que não é «de modo algum um contador de histórias». «Quando muito», referiu numa entrevista em Slate.com, em 2010, «sou um entrevistador natural, um ouvinte natural, mas não sou um contador de histórias natural.»

Glass pode só assegurar a mínima parte da conversa, mas a sua capacidade de escutar atentamente, colocar as perguntas certas e interpor observações interessantes tornam o programa fascinante. A capacidade de fazer com que uma pessoa fique à vontade e seja ouvida – e, ao fazê-lo, revele verdades ocultas e fascinantes – é apenas um dos muitos superpoderes dos introvertidos.

## USA AS TUAS PALAVRAS

Mas, por vezes, escutar tanto pode desgastar-te. Recebes imensa informação das pessoas, mas onde está a *tua* voz durante a conversa? Não serão os teus pensamentos igualmente interessantes? Não deverias ser *tu* a ser escutado?

Certamente já ouviste alguns pais dizerem aos seus filhos mais pequenos, «Usa as tuas palavras». Eu ouvi há pouco tempo um pai dizer isto a um filho pequeno que chorava. Ele queria ajudar o filho, mas não conseguia entender porque estava a criança tão alterada. Por entre gritos e soluços o menino não conseguia explicar *por que* estava a chorar.

As pessoas não leem a mente. Por muito que queiramos que alguém nos compreenda implicitamente, por vezes temos de dar mais informação. *Temos* de falar, e falar é assustador, mas dizer aquilo que queremos ou precisamos é também bastante revigorante e a maior parte das vezes ficarás agradado com as respostas que obtiveres.

Quando estás à vontade – ou até se precisares de te alongar um pouco – usa as tuas palavras. Partilha as tuas ideias, pensamentos e sensações. Não é presunção nem arrogância pedir atenção para ti mesmo. Também não é uma traição ao teu ego introvertido querer ser ouvido. A amizade tem que ver com dar *e* receber, com ter tempo para ouvir atenta e pacientemente, e com confiar suficientemente num amigo para em contrapartida te exprimires com sinceridade.

# FORJAR AMIZADES TRANQUILAS

Não há um só truque para encontrarmos um amigo sincero e dedicado. Sugeri aqui algumas possibilidades, mas o mais importante é manter a mente e o coração abertos. O teu próximo melhor amigo pode ser aquele novo jovem em silêncio no canto, ou aquele expansivo e popular, de pé, junto à mesa no meio do refeitório. E tu, com o teu interesse em conversas profundas frente a frente e a tua vontade para escutar atentamente, podes ser um valioso amigo para ambos.

SÊ TU MESMO: Não tentes ser alguém que não és para causar boa impressão. Um amigo verdadeiro vai apreciar-te como és. «Não finjas ser extrovertido para ganhar amigos», aconselha uma introvertida chamada Rara. «Um bom amigo é muito melhor do que muitos conhecidos. Mesmo que isso por vezes signifique que estás sozinho, é melhor do que estar rodeado por gente falsa.» Ao mesmo tempo, procura os amigos que fazem com que o teu verdadeiro ser se revele: o teu lado tonto, o teu lado desinibido, o teu lado dramático. É assim que saberás quando estás realmente «em casa».

ARRISCA A SOLIDÃO: Afasta-te das más companhias ou amizades que sintas como desagradáveis. Tal como Georgia aprendeu, é melhor não ter amigos do que manter uma relação violenta e prejudicial.

Mereces estar rodeado por pessoas que te façam sentir descontraído, tal como tu és – quer te sintas alegre *ou* triste.

**JUNTA-TE A UM GRUPO:** Este conselho pode parecer-te contraintuitivo para uma pessoa introvertida. Mas uma equipa, um clube, ou uma atividade extracurricular pode ser um excelente meio de fazer novos amigos. Isto é sobretudo verdadeiro se o grupo estiver organizado em torno de um assunto que realmente te interesse ou até que te desperte curiosidade. Passarás mais tempo com pessoas que partilham os teus interesses e há menos pressão para causar uma primeira grande impressão. «Quando te juntas a um grupo com quem vais estar assiduamente, és capaz de fazer amigos com mais facilidade», diz Jared, um introvertido da Califórnia. «Podes conhecer cada um deles, com vagar, e deixar o tempo fazer o resto.»

**COMEÇA COM POUCO:** Um adolescente chamado Mitchell passou diversos anos a mudar-se de um lugar para outro, pois o seu pai, um oficial do Exército, era transferido de uma base militar para outra. Consequentemente, Mitchell foi obrigado a desenvolver uma estratégia para fazer amigos. A sua regra? Primeiro encontra um bom amigo. Depois de consolidar esse laço, começa então a pensar ramificar-se para novas amizades.

**TRABALHA EM EQUIPA:** Uma adolescente, de seu nome Teresa, diz que se esforça para fazer amigas sozinha, mas quando está uma das suas amigas mais sociáveis, conhece pessoas que de outro modo não encontraria. «Descobri que a melhor maneira de conhecer novas pessoas é estando com as minhas amigas», diz ela. «É uma ótima maneira de estar na minha zona de conforto enquanto convivo.»

**FAZ PERGUNTAS:** Ouvir é um dos teus superpoderes, por isso usa-o quando conheceres novas pessoas, fazendo-lhes perguntas sobre elas e depois respondendo com novas perguntas que mostrem que estás a prestar muita atenção ao que dizem. Rapidamente irás conhecer muito acerca dessas pessoas e, como bónus, estarás a conceder a ti mesmo uma pausa sem falar enquanto as outras pessoas te contam as suas histórias. (Tem apenas o cuidado de não transformar a conversa num monólogo! As pessoas também querem ouvir um pouco sobre ti.)

**MOSTRA EMPATIA:** Todos se sentem por vezes inseguros ou estranhos, mesmo o estudante mais extrovertido, carismático ou intimidante do refeitório. Imaginar o que os outros podem estar a sentir, irá fazer com que te sintas mais à vontade no meio deles.

USA AS TUAS PALAVRAS: Recorda-te que ninguém consegue ler a mente. Acabarás por ter a necessidade de falar para que os outros saibam como estás a sentir-te. Um verdadeiro amigo vai querer ouvir-te.

## Capítulo Seis
# FESTAS TRANQUILAS

Quando frequentava o ensino básico, algumas das minhas amigas organizaram-me uma festa surpresa de aniversário. Passámos horas a conversar, rindo e ouvindo música. Foi incrivelmente simpático da parte delas darem-se a todo aquele trabalho por minha causa, e eu tinha a sorte de contar com elas na minha vida. Mas tenho uma confissão a fazer. Algumas vezes, durante aquela noite, olhei à minha volta para aquela meia dúzia de jovens na sala e senti uma onda de desapontamento. Não me interpretes mal; eu não estava desapontada por elas serem minhas amigas. De maneira nenhuma. Mas não podia deixar de pensar que devia haver mais algumas amigas. Não deixava de pensar que se algum dos jovens do meu ano tivesse uma festa surpresa de aniversário, haveria umas setenta ou oitenta pessoas presentes. Supostamente, esta devia ter sido uma noite especial, mas mesmo depois de todos os esforços das minhas amigas, acabei por me sentir como um fracasso social.

Hoje, recordo aquela noite e penso como aquela preocupação era completamente injustificada. Algumas pessoas gostam de círculos sociais de seis pessoas, outras de sessenta, e algumas até de seiscentas. E está tudo bem. Pode ser difícil acreditar nisto quando estás a descobrir pela primeira vez como te encaixas no mundo social, mas acredita em mim – desde que tenhas amigos que aprecias, não importa quantos estão presentes. A ironia é que se as minhas amigas tivessem organizado uma festa em minha casa com setenta ou oitenta pessoas amontoadas, eu teria detestado!

Claro que ser introvertido não significa que não aprecies – ou que não sejas socialmente dotado para – grandes festas. (Eu, por exemplo, adoro dançar e, por vezes, gosto de ter uma grande festa para dançar.) Mas estes ambientes são mais cansativos para nós, por todas as razões de que antes já falámos. Os extrovertidos completos alimentam-se na energia das festas ruidosas. Mas uma vez que nós somos mais sensíveis à estimulação, as luzes, os rostos, as vozes e os batimentos da música em festas ruidosas podem ser desagradáveis. É como se todos os seres humanos tivessem uma bateria social, mas que se descarrega e carrega em condições completamente diferentes. Acabei por conseguir reconhecer esta sensação de bateria descarregada, por isso sei quando chega o momento de deixar uma festa, ou de me recolher num sofá para uma conversa mais íntima – e para recarregar baterias.

Também podes fazer a mesma coisa. Uma amiga minha, também introvertida, comparece quase sempre a todas as festas para que é convidada e a sua maneira discreta é muito popular, por isso vai a muitas festas. Ela gosta de estar presente e toda a gente fica feliz por vê-la. Normalmente, também costuma sair ao fim de uma hora ou duas, despedindo-se e agradecendo graciosamente e seguindo o seu caminho. Ninguém repara e ninguém se importa – estão apenas satisfeitos por ela ter comparecido.

De modo semelhante, quando uma nadadora chamada Jenny (de quem ouvirás falar mais no Capítulo Dez) era mais jovem sentia a pressão de ter uma grande festa de aniversário, tal como todas as outras pessoas. Mas quando os seus amigos chegavam, ela começava a fazer visitas extralongas à casa de banho. Fechava a porta e deixava-se ficar lá dentro até conseguir acalmar-se. Estes momentos de tranquilidade permitiam-lhe recuperar energia para poder divertir-se mais quando voltasse para a festa.

Precisas apenas de encontrar o sistema que para ti funciona – e depois deixa de te preocupar com isso.

## O MAIOR TRUQUE DO MÁGICO

De facto, há muitas maneiras de aparecer que podem funcionar para quem sofre de timidez nas festas.

Vejamos a experiência de Carly no baile de finalistas. O baile é sempre organizado de modo a ser uma noite épica de festa. Como se dançar toda a noite com todos os colegas do seu ano são fosse suficientemente angustiante para Carly, ainda havia a pressão adicional de que fosse «*a melhor noite de sempre*».

O baile de finalistas era algo de importante na escola de Carly. O seu ano foi dividido numa ampla variedade de pequenos grupos. Havia os desportistas e as *cheerleaders*, havia os jovens que iam à caça, e depois havia o grupo de Carly, a quem ela carinhosamente chamava os «excêntricos artísticos». Carly, as suas amigas e os seus acompanhantes decidiram ter uma noite sossegada. Encontraram-se previamente em sua casa antes de se dirigirem para o baile. Fizeram fotos e levaram alguma comida. Foi um alívio passar a noite da grande festa com as pessoas de quem mais gostava. Divertiu-se imenso e dançou toda a noite – mas ainda assim preferia a noite seguinte, quando ela e os seus amigos fizeram juntos o jantar e conversaram sobre a festa no conforto da sua própria cozinha.

Davis, que conhecemos anteriormente, também não gostava de grandes festas, mas descobriu uma maneira de lidar com esse tipo de sensações. No ensino básico só comparecia nas grandes celebrações quando era indispensável. Como presidente da associação de estudantes, tinha de estar presente no acolhimento de regresso às aulas, mas quando terminava o seu trabalho e o rei, a rainha e outros cortesãos eram anunciados, os pais levavam-no para casa. Davis não era antissocial, pelo contrário. Mas já tinha compreendido que preferia um outro tipo de encontros. No ensino secundário, ele era o líder social do seu grupo de amigos. Era capaz de convidá-los todos para a sua casa aos fins de semana em vez de se juntar às multidões das grandes festas. Entretinham-se com videojogos ou jogavam às cartas. A casa de Davis era o ponto de encontro para os seus companheiros.

Quando cresceu, a sua preferência por estas reuniões mais restritas teve um efeito inesperado. Na faculdade, se alguém o convidava para uma grande festa, Davis rejeitava, mas em contrapartida sugeria imediatamente qualquer outra coisa. Convidava a pessoa para um café no dia seguinte ou para ir com ele à galeria de arte para irem ver uma nova exposição. Ao fazê-lo, tornava claro que era a festa que não lhe interessava e não a pessoa que o convidava. Normalmente a pessoa aceitava o seu convite alternativo, e essas saídas mais restritas não eram apelativas apenas para outros introvertidos. Descobriu que os seus colegas mais expansivos, aqueles que se entusiasmavam com as festas que ele tentava evitar, também gostavam de relaxar a dois. Era uma mudança refrescante relativamente à maneira como em geral conviviam com os seus amigos.

Davis acabou por forjar profundas amizades muito embora tivesse rejeitado aqueles convites iniciais. Evitar as festas foi a sua opção, e sabia que não estava a ferir os sentimentos de ninguém ou a fazer inimigos sem intenção. Mas, tinha uma preocupação. «Receava se o facto de não ir a festas não impediria os outros de saberem quem eu era.»

Não que Davis andasse exatamente à procura de popularidade. Apenas não queria ser anónimo. No entanto, rapidamente descobriu que os seus receios não tinham fundamento. No final do seu ano como caloiro na faculdade, ia a atravessar o *campus* com um dos seus amigos, ao mesmo tempo que saudava as pessoas com quem se cruzavam e que conhecia. «Davis», disse-lhe o amigo, «tens a noção de que conheces metade das pessoas no *campus*?» «O que é que estás a dizer?», perguntou Davis. «Acabámos de atravessar o *campus* e tu conhecias metade das pessoas!»

A observação aleatória do amigo foi confirmada um ano depois. Davis participou num concurso de talentos do *campus*, na expectativa de poder mostrar alguns dos seus truques de magia. Era o público que escolhia o vencedor. Quando o concurso terminou e Davis escutou os mais entusiásticos aplausos para o seu número, olhou para aquele público de quinhentas pessoas. Os seus apoiantes não eram estranhos. Eram os seus amigos. E eram amigos verdadeiros, não o tipo de conhecidos que nos limitamos a seguir no Instagram ou que nos lança um «Olá!» numa festa. Estes eram colegas de curso com quem ele falava sobre a vida, o amor e tudo o mais. Ao olhar para aquele público tomou consciência que estava bem longe de ser anónimo. Os seus amigos enchiam metade do auditório.

## O «SOCIALITE» E O PINTOR

Por fora, Noah, um jovem cineasta de Baton Rouge, Luisiana, sempre foi um *socialite* e um grande contador de histórias. Parecia revigorar-se com pessoas à sua volta. Mas, ao fim de algum tempo, ficava extremamente consciente de como queria furtar-se ao público e ficar a sós. No ensino básico, o seu núcleo de amigos era constituído por jogadores de videojogos. Ora jogavam juntos ora individualmente na mesma sala, um no iPad, outro na Xbox, e mais alguém no telemóvel. Mas no nono ano o cenário social estava a mudar – começaram os namoros e as amizades oscilaram. Noah manteve-se amigo individualmente com cada um dos rapazes, mas o grupo desfez-se. Começou a envolver-se em atividades extracurriculares, incluindo o jornal *online* da escola e o grupo coral *a capella*. Fez novos amigos em cada uma das atividades, mas nunca se sentiu como parte segura de nada.

«Eu entretinha-me com muitos grupos, faz parte de ser-se *socialite*: tinha bons amigos, mas faltavam-me os melhores amigos. Nas festas quando quase todos procuravam ligar-se e até talvez apaixonar-se ou fazer amizades que durassem para sempre, sentia-me sempre desconfortável. Recordo-me de adormecer sozinho quando chegava a casa depois de uma festa – era uma solidão misturada com esperança, do tipo, no futuro isto vai melhorar e eu vou encontrar o meu lugar.»

Existe a convicção de que cada um reflete a versão bem ajustada e divertida que apresenta nos meios sociais, ou que os tempos do ensino básico são os melhores da nossa vida, quando acontecem ótimas festas e quando nos apaixonamos. A verdade é que tudo acontece para todos em momentos diferentes. Para muita gente (e aqui eu levanto a minha mão), os melhores anos e socialmente mais confortáveis chegam muito mais tarde, na universidade ou até muito depois dela. Não há quaisquer regras sobre como ter o tipo «certo» de vida social na escola, tal como não há regras sobre qual é a mesa «certa» do refeitório para nos sentarmos. Podes construir o que é melhor para ti – mesmo que a tua versão de sociabilidade seja diferente dos modelos que vês nos filmes ou na TV.

Laurie também não era do género de festas de arromba. Não tinha especial apetência para encontros de muita gente, por isso começou a organizar eventos de menor dimensão – festas de pintura. O seu momento social preferido era na aula de Pintura. Com apenas meia dúzia de outras raparigas era uma pausa agradável relativamente à normal sala de aula, cheia e competitiva. No início do ano muitos dos artistas não se conheciam, mas com o tempo acabaram por se aproximar. Uma noite, Laurie e uma das suas boas amigas da aula decidiram juntar-se para pintar. Em pouco tempo, mais umas quantas raparigas começaram a juntar--se-lhes em festas de pintura, que acabaram por se tornar semanais.

Reuniam-se por volta das sete da tarde e pintavam até à meia-noite. Por vezes trabalhavam em projetos da aula, mas as festas não tinham nada a ver com trabalho. «Púnhamos música a tocar», recorda Laurie, «comíamos muito. Tínhamos grandes conversas. Às vezes desviávamo-nos e não pintávamos, ficávamos simplesmente a comer e a conversar sobre a vida.» Com o tempo, as colegas da aula de Pintura tornaram--se em algumas das suas amigas mais chegadas.

## PROTEGE-TE

Se receares realmente um evento social, é perfeitamente normal que o ignores. Acontece. Expandirmo-nos como um elástico é importante, mas recorda que todos temos os nossos limites e precisamos de proteger-nos. Infelizmente, há os que ganham o hábito de dependerem de substâncias como o álcool ou a marijuana para se descontraírem nas festas. Peter, um estudante universitário introvertido de Oberlin, Ohio, usou de facto pausas para fumar, como meio para durante algum tempo evitar estar rodeado de gente numa festa. Se achas que não te podes comportar de certa forma a não ser com o consumo de álcool ou drogas, fala com um adulto de confiança. Há formas muito mais seguras de encontrar o nosso conforto.

Álcool e haxixe são afinal soníferos, o que significa que a euforia que criam pode rapidamente dar lugar à depressão e à ansiedade. Detesto quando parece que estou a dar lições de moral, mas eis a verdade. Estas soluções, para além de nãos serem saudáveis, são temporárias. A vontade forte esbate-se e regressarás ao teu ego usual. A solução mais sustentável é seres cada vez melhor a procurares ser quem já és, e reconhecer quais as situações que te fazem sentir mais à vontade e como encontrar conforto em situações que não sejam as ideais.

# COMO ESTAR EM FESTAS COMO INTROVERTIDO

Nem sempre poderás conceber ou encontrar a tua festa ideal. Por vezes vão pedir-te para compareceres a eventos com muita gente que te farão sentir desconfortável. Mas há sempre maneiras de tornar mais fáceis estes momentos e tirar o melhor partido deles. Eis algumas sugestões:

**ENCONTRA UM COMPANHEIRO/COMPANHEIRA:** Se fores forçado a comparecer numa grande festa, começa por ir acompanhado por alguém que conheças. Se puderes, combina primeiro um encontro antes da festa. A transição para a sala cheia e animada será muito mais fácil se entrares com um ou dois amigos, em vez de combinares encontrar-te com eles já na festa.

**PREPARA UMA SAÍDA:** Estabelece um objetivo razoável para ti – talvez uma hora – e informa os teus pais ou educadores para estarem prontos à hora combinada. Depois, se te sentires exausto, envia-lhes uma mensagem para te irem buscar.

**COMEÇA PELOS CANTOS:** Quando chegares, reserva algum tempo para te adaptares ao ruído e ao movimento. Começa por percorrer com os teus amigos as extremidades e os cantos da sala, onde é provável que as coisas estejam ligeiramente mais calmas.

# COMO DEIXAR CEDO UMA FESTA

passagem secreta

nuvem de fumo

disfarce

despedida cordial

pinhata voadora

**CRIA UMA BOLHA:** Ao princípio tenta confinar o espaço ao teu pequeno grupo de amigos, ou até a uma conversa a dois. Não penses no que se está a passar fora da tua bolha – em quem fala ou está a fazer seja o que for. Concentra-te nos teus amigos e procura aclimatar-te antes de te aventurares para fora da tua bolha.

**FAZ UMA PAUSA REGENERADORA:** Quando o barulho ou as pessoas se te tornarem insuportáveis, refugia-te na casa de banho ou qualquer outra área tranquila para relaxares e recarregares baterias. Alguns minutos de paz e sossego podem fazer milagres.

**FICA UM POUCO MAIS:** Uma vez por outra, procura ficar mais meia hora para além do tempo que inicialmente previste. Podes acabar por ultrapassar o desconforto, divertir-te e falar com pessoas que te surpreenderão.

**À TUA MEDIDA:** Quando fores o anfitrião da tua própria festa, não sintas que tens de seguir a norma. Se gostas de passar tempo com alguns bons amigos, então limita a tua festa a esse número. Uma festa pequena e íntima não é nada de que te envergonhes. Para muita gente, é mais divertido assim.

**FAZ PLANOS QUE FUNCIONEM PARA TI:** De igual modo, se estás farto de ser arrastado para festas ou saídas em grandes grupos, porque não convidares os outros para fazerem aquilo que *tu* queres fazer, como tu e alguns amigos encomendarem piza para jantar, ou fazerem um passeio de bicicleta pelo bairro? Provavelmente os teus amigos vão ficar entusiasmados pela mudança de hábitos.

**MANTÉM-TE LIVRE DE DROGAS:** Não precisas de recorrer a quaisquer substâncias que te façam sentir artificialmente confortável. Confia em ti, evita pessoas e situações perigosas, e CUIDA do teu corpo.

**MANTÉM-TE CURIOSO, MANTÉM-TE SOLIDÁRIO:** Quase toda a gente tem uma história ou uma perspetiva interessante sobre o mundo. Quando travares um novo conhecimento e sentires que aquele estranho momento de conversa sem interesse começa a instalar-se, estabelece a ti mesmo um desafio. A tua missão é descobrir o que há de interessante no teu interlocutor. Recorda também que as pessoas mais serenas ou mais intimidantes carregam consigo a sua própria dor interior. Faz parte de sermos humanos. Mesmo que nunca descubras qual é a fonte da dor de cada um, recordar que ela existe ajudar-te-á a cultivar uma atitude aberta e solidária para com todos os que conheceres.

# Capítulo Sete
# TRANQUILO

Imagina o seguinte. Tens vestida uma aconchegada camisola e à tua frente uma deliciosa refeição ligeira. Talvez estejas absorvido por um empolgante romance, ou a ver um episódio de uma das tuas séries preferidas. Talvez estejas a visualizar GIF hilariantes no Tumblr ou perto de ultrapassar o próximo nível de *Final Fantasy*. É uma noite de sábado e estás encantado por passar esse tempo sozinho. Não consegues pensar em nenhum sítio onde gostasses mais de estar, até que... *ding!* Uma notificação no telemóvel. Alguém que segues no Instagram publicou uma foto de um grupo de jovens que conheces e que se riem no meio do que parecer ser um grande evento.

Sentes o estômago às voltas. O que estarão a fazer? Estarão a divertir-se à grande? Se assim for, será que na segunda-feira vão falar no assunto? E interrogas-te porque não estás tu com eles? Embora há apenas um momento te sentisses feliz e confortável, subitamente ficas ansioso. Estar tranquilamente em casa será suficiente quando todos os outros se estão a divertir?

Este é o clássico momento MPQC: Medo de Perder Qualquer Coisa. Como introvertidos, somos frequentemente atraídos para ambientes mais sossegados e mais intimistas. Sabemos como os nossos santuários podem ser belos e calmos. No entanto, ver no Facebook fotos dos grupos da escola em grandes festas pode funcionar como um alerta para o convívio em que *deveríamos* estar a participar.

As redes sociais podem intensificar esta ansiedade acerca de ser excluído. Mesmo que ter uma noite tranquila seja aquilo que *mais preferes* fazer, descobrir *online* o que os outros estão a fazer nas noites de sábado pode fazer-te questionar o teu estilo de vida. Lola, por exemplo, é uma introvertida que tem estreitas amizades com os grupos mais populares da escola. Embora ela goste muito dos seus amigos, muitas vezes sente que eles esperariam que fosse mais sociável – tanto pessoalmente como *online*. Fica nervosa com o telefone, porque está cheio de mensagens, Snapchat, Twitter. Está tudo lá à espera que ela veja o que os outros estão a fazer e a incentivá-la a participar.

«Se me isolo, sinto que estou a perder qualquer coisa. As minhas amigas enviam mensagens a rapazes engraçados no Instagram, e eu sinto uma espécie de inveja por isso. Mas eu quero ser capaz de me encontrar com os outros pessoalmente. Estou no meio deste estranho conflito em que sinto estar fora de moda porque adoro fazer coisas divertidas e excêntricas, mas cara a cara. Não conheço muitas outras pessoas que se sintam como eu. Quero fazer parte disto e ligar-me com os outros, e ao mesmo tempo isso deixa-me algo infeliz. Há sempre notícias de outras pessoas que se estão a divertir.»

Agora que Lola está a começar o seu décimo segundo ano, já não tem regularmente os seus momentos MPQC. Decidiu que não precisa de lamentar ter perdido alguma coisa se estava perfeitamente feliz a fazer aquilo por que antes optara. De facto, vê agora que usa as redes sociais como meio de se manter em contacto com os seus amigos quando eles vão para sítios diferentes. Ao enviar-lhes mensagens de texto ou trocar imagens e textos por Snapchat enquanto eles estão afastados, sente-se mais envolvida e menos excluída. Nesse sentido as redes sociais permitem-lhe na verdade sentir-se ligada aos amigos enquanto está recolhida no seu mundo introvertido.

E quando aquela velha sensação MPQC ameaçar reaparecer, tem um truque para se livrar dela. «Por vezes, quando estou a fazer coisas que quero fazer sozinha, como ficar no meu quarto a ouvir música, ou andar de *skate*, ponho o meu telefone em modo "Não Incomodar" para não me preocupar em sentir que podia estar a fazer qualquer outra coisa naquele momento.»

No polo oposto, Colby, um estudante introvertido de um colégio interno, descobriu que as redes sociais o fizeram de facto sair da sua concha. «Falo com amigos no Facebook, normalmente em conversas de grupo para combinarmos alguma coisa. Percorro as páginas para contactar com os amigos e combinarmos uma data para nos encontrarmos.» Colby é convidado no Facebook para eventos que de outra forma, segundo crê, nem sequer ouviria falar, e tem conhecido pessoas nessas festas que se tornaram bons amigos. Ele aprecia o facto de poder ver quem está a planear participar num determinado programa, pois assim verifica se os seus amigos vão estar presentes. Usar as redes sociais para este fim abriu-lhe realmente as portas para a sua vida social.

## ESPAÇO PARA PARTILHAR

Noah também retira benefício de estar no Instagram, Snapchat, etc. Usa as redes sociais não só para falar com amigos, mas também para publicar e partilhar as coisas que captam a sua atenção, especialmente filmes. «Já deixei de as usar para mostrar como sou, ou como sou fixe. Estou mais interessado nas redes sociais que me falam de algo que me apaixona.» E depois brinca: «E obviamente também com imagens de animais engraçados.»

Noah tem muita razão neste ponto. Para aqueles de nós que pertencemos ao espectro dos introvertidos e que frequentemente resistimos a estar com grupos, pode ser mais fácil explorar os nossos interesses *online* – e as *apps* e a Internet são excelentes meios para nos ligarmos ao mundo que nos rodeia. Lola, por exemplo, começou a publicar as suas colagens no Tumblr e foi completamente surpreendida pelo número de respostas que obteve. Desde então tem vindo a contactar com outros artistas jovens e ambiciosos que estão interessados em partilhar o seu trabalho. As raparigas que tem conhecido em todo o país de certa forma tornaram-se suas amigas correspondentes – trocando inspiração *online*.

Talvez tenhas um interesse especial que ninguém na tua escola ou na tua vizinhança partilhe e queres conhecer outras pessoas que possam relacionar-se contigo ou ensinar-te algo sobre o assunto. Talvez não haja mais ninguém na tua escola da mesma raça ou cultura que tu e queiras contactar gente já experimentada em vestir uma pele como a tua. Muitos estudantes disseram-me que quando se sentem sós nas suas vidas diárias, encontram alívio junto de comunidades *online* de gente como eles. Isso deu-lhes coragem para falarem abertamente sobre assuntos que lhes são importantes, como racismo ou *bullying*.

Faz com que os teus círculos de amigos
se SOBREPONHAM

A Internet, ao contrário da sala de aula, é um excelente lugar para os introvertidos se expressarem sem terem que competir com outros para terem uma oportunidade de falar. E as redes sociais podem ser uma oportunidade para encontrar reconhecimento. Muitos adolescentes disseram-me que quando se sentiram inseguros ou desprezados pelos outros à sua volta, conseguiram um impulso na sua confiança graças aos «gostos» que obtiveram no Facebook ou no Instagram. Evidentemente que não vais querer que a tua confiança dependa apenas do número de «gostos» ou de *retweets* que recebes mas, como dizia Noah, sabe bem partilharmos coisas sobre nós – sobretudo quando nos sentimos inibidos por fazê-lo pessoalmente.

## AMIZADES «WI-FI»

Os introvertidos são mais expansivos *online*? Ensaiaremos uma personalidade mais extrovertida nas redes sociais? Desde há vários anos os psicólogos têm vindo a tentar compreender se as pessoas agem da mesma maneira *online* e na vida real. Num determinado estudo, cientistas analisaram os perfis e páginas do Facebook de um grupo de estudantes universitários. Descobriram que os extrovertidos tinham mais postagens, fotos e amigos nas suas cronologias: procuravam interagir socialmente e envolviam-se mais com o grupo. Por seu lado, os introvertidos eram mais frequentemente observadores. Por outras palavras, introvertidos e extrovertidos comportavam-se normalmente *online* tal como na vida real.

Muitos introvertidos com quem falei disseram-me que escreviam poucas postagens, mas que se ligavam com frequência e conversavam com amigos *online*. As redes virtuais eram uma maneira de manter ou até de reforçar as suas relações reais. Em 2012, um grupo de cientistas da Universidade da Califórnia, Irvine, descobriu tendências semelhantes quando estudou como os estudantes usavam a comunicação *online*. Os cientistas interrogaram 126 estudantes do ensino secundário sobre como se relacionavam uns com os outros através das redes sociais e descobriram que, para muitos jovens, os seus amigos eram os mesmos tanto no mundo real como no mundo *online*.

Noah é talvez uma exceção. Fez novas amizades *online* com pessoas de todo o mundo, sem nunca se ter encontrado com elas frente a frente. «Estabeleci algumas ligações estranhas e surpreendentes através do MMORPG [*Massive Multiplayer Online Role-Playing Games*\*] como EverQuest, ou World of Warcraft, onde se joga com milhares de pessoas e todos têm o seu avatar. Sempre me inspirou a história, ou os elementos gráficos do jogo, por isso criávamos laços à volta disso.» Para Noah, estas amizades eram frequentemente menos opressivas do que as amizades com os colegas da escola, com quem sentia a pressão para ser divertido.

Fazer e manter amizades *online* tem os seus altos e baixos. Estudos mostram que estas amizades virtuais podem ser positivas e revigorantes, mas também podem ser uma barreira para se encontrar amigos na vida real. Um jovem de

---

\* Plataforma de jogos *online*. (*N. do T.*)

catorze anos que encontrámos fazia parte de uma equipa virtual num jogo de combate *online*; a sua equipa era constituída por rapazes de todo o país. Embora ele se referisse a estes seus companheiros como alguns dos seus melhores amigos, nunca partilharam as suas histórias ou experiências da vida real, e ele não tinha quaisquer planos para vir a conhecê-los pessoalmente. Em alguns casos não conhecia sequer os seus verdadeiros nomes.

Mantém sempre em mente que muitas pessoas apresentam *online* uma versão fantasiada das suas vidas. Pensa naquilo que é publicado no Instagram: fotos de férias, de deliciosas refeições ou de momentos em festas quando estamos risonhos e rodeados de amigos. Então e aqueles momentos menos glamorosos em que comemos cereais em pijama nas manhãs de domingo? Ou os momentos mais vulneráveis em que nos sentimos solitários ou nervosos? Se só conheceres as pessoas através da sua presença nas redes sociais, podes não conseguir ver que elas se sentem tão frágeis como tu – incluindo as extrovertidas!

A psicóloga infantil Aimee Yermish aconselha os seus pacientes a examinarem com atenção as suas relações. Se uma amizade consiste maioritariamente em jogar ou numa ligação *online*, então tem as suas limitações. Isso deve-se a que o termo «amigo» só está parcialmente representado *online*. Um elo maduro e verdadeiro inclui contacto pessoal e social, do género que se desenvolve quando nos sentamos frente a frente com alguém, ou quando conversamos durante o almoço. Yermish diz aos seus pacientes para abordarem as suas amizades digitais da mesma maneira que tratam as tradicionais: procurar pessoas que com o tempo possam vir a ser bons amigos. É bom pensarmos nas comunidades digitais, do Facebook aos jogos *online*, não como mundos completos em si mesmos. Pensemos antes neles como um meio de reforçar as ligações ao mundo real.

Sem rodeios, uma vez que a Internet é aberta a todos, lá encontraremos muito de arrepiante e de índole criminosa, e também violência. Tem cuidado com o que dizes *online* e não confies de imediato num estranho. Não vou dissertar muito sobre isto porque tenho a certeza que os teus pais e professores já te falaram no assunto, mas, por favor, assegura-te de que sabes bem quais as informações que podes – e quais as que não deves – partilhar *online*. E recorda que há sempre a possibilidade de uma foto ou comentário que publiques poder ser partilhado sem o teu consentimento. Certifica-te que não estás a publicar uma mensagem ou uma foto no Snapchat que não queres que um estranho – ou um colega de turma – a veja. Independentemente de quão animada e orgulhosa for a tua personagem *online*, procura assegurar-te que enquanto te divertes garantes também a tua segurança!

## NA VIDA REAL

É tentador compararmos o nosso número de amigos no Instagram com o de outras pessoas e tenho a certeza que isto me causaria imensa ansiedade quando era estudante do ensino básico. Mesmo sem o Instagram, Snapchat e outros semelhantes, as pessoas sentem-se muitas vezes inseguras acerca do número de amigos que têm. Num estudo sobre a Internet, cientistas entrevistaram estudantes universitários e concluíram que aqueles que tinham maior número de amigos estavam frequentemente mais felizes com as suas vidas. Acreditavam que possuíam mais apoio social graças aos seus amigos digitais no Facebook.

Contudo, a maneira como Robby, um adolescente de New Hampshire, via a questão era a seguinte: «As contagens de seguidores e amigos são apenas versões virtuais dos concursos de popularidade que desde sempre fizemos na escola.» Para um jovem como ele, que valorizava as ligações pessoais profundas, aqueles números não tinham qualquer significado. Um amigo era alguém com quem ele podia partilhar os seus fracassos e deceções, não apenas as suas vitórias e melhores anedotas.

Muitos dos jovens introvertidos que escutei partilhavam a visão de Robby sobre a contagem de amigos, mas ainda assim valorizavam a comunicação através de *apps* e *online*. Quando pensamos no assunto, é incrível dispormos desta plataforma que dá voz a quem nem sempre se sente à vontade por tê-la. No ensino básico, Robby sentia-se muitas vezes demasiado absorvido pelos seus pensamentos, para conseguir encaixar uma anedota na conversa. «Quando era mais novo, se estivesse com um grupo de amigos e alguém dissesse algo de engraçado, eu pensava logo em algo especialmente divertido para acrescentar. Mas se pensasse antes de falar, "Será a coisa certa para eu dizer? Não soará estranho?", então seria tarde de mais para o dizer.»

Quando Robby tinha tempo suficiente para pensar e amadurecer uma anedota, podia ser verdadeiramente divertido, por isso, preparava respostas sagazes para os seus amigos via Messenger ou Facebook. De certa forma sentia-se muito bem ao ser mais extrovertido e confiante *online*. «É tão fácil quando se trata apenas de uma série de caracteres no ecrã do teu telemóvel», recorda. Podia mostrar aos amigos o que ia na sua cabeça e revelar um lado seu que normalmente tinha muita dificuldade em expressar.

Mas o que Robby realmente queria era contar aquelas anedotas na vida real, com os seus amigos bem à sua frente. Por isso decidiu começar a dedicar cada vez menos tempo às redes sociais. «Quando era mais jovem, retirava vantagem do Facebook e do mensageiro instantâneo, mas se começarmos a usar estas muletas, então vamos colocar-nos numa situação em que isso talvez seja a única coisa que conseguimos fazer», afirma. «Eu não quero que me vejam de uma maneira que não corresponde à minha pessoa, e não quero ver as pessoas conforme elas na verdade não são.»

Robby estava determinado a tornar-se naquele ser confiante e espirituoso que tão facilmente imitava *online*. Fazer parte de uma banda e tocar frente ao público foi uma ajuda enorme. Mas também considera o seu emprego num supermercado como um passo importante. No verão anterior ao seu ano de finalista do ensino secundário, conseguiu um emprego como caixa de um supermercado local. Os curtos diálogos que tinha de manter com os clientes durante todo o dia deram-lhe confiança. «Tinha aquelas conversas insignificantes cem vezes ao dia. Antes, sentia-me tão desconfortável com aquilo, mas agora já não.» Para Robby esta experiência foi a prova do poder da repetição. «Não nos tornamos mais confiantes só com a força de vontade, é importante praticar.»

Mesmo assim, como introvertido clássico que era, depois destas interações ficava profundamente exausto. Precisava de se refugiar no seu quarto e escutar um pouco de Daft Punk para descomprimir – e, evidentemente, para dar uma vista de olhos pelo Facebook.

## COMO APROVEITAR AO MÁXIMO AS REDES SOCIAIS

Todos usam as redes sociais de maneira diferente. Podes amá-las ou odiá-las, e não há necessidade de teres um grande papel no cenário *online* se isso te fizer sentir desconfortável. Para muitos introvertidos tímidos, a Internet é a oportunidade ideal para estabelecer ligações sem a pressão de estar cara a cara com os outros. Mas para alguns, andar com amigos na vida real sente-se de uma forma mais autêntica. Recorda simplesmente que sejas quem fores na vida real, és tão fixe como o teu ser *online*. Eis algumas sugestões para a navegação no estranho e fascinante mundo das redes sociais:

**CONSERVA A TUA PRIVACIDADE:** Mantém privados os teus perfis nas redes sociais, para que só tu e os teus amigos os possam ver. Não só é mais seguro, como te permitirá desfrutares da Internet numa escala mais confortável. Se preferires grupos mais pequenos no mundo real, também poderás querer manter pequenas as tuas comunidades no Facebook e no Instagram.

**VALORIZA OS TEUS VERDADEIROS AMIGOS:** Podes ter a sorte suficiente de começar uma amizade a sério *online*, mas equilibra isso mantendo também amizades pessoalmente. As redes sociais são muitas vezes uma ferramenta melhor para aprofundares as amizades que já tens do que para começar novas.

**EXPRIME O QUE PENSAS:** Uma das grandes coisas que as redes sociais proporcionam é a facilidade de partilharmos os nossos pensamentos, ideias ou até trabalhos artísticos, fotos e vídeos com os outros. Muitos introvertidos acham mais fácil fazer-se ouvir *online*.

**ENCONTRA-TE:** A Internet é incrivelmente vasta e repleta de matérias e comunidades dedicadas a todos os tópicos imagináveis. É um excelente recurso para explorares os teus interesses e paixões, para apren-

deres mais sobre eles, e para contactares com outros que partilham esses mesmos interesses.

**FAZ UMA PAUSA:** Lola descobriu que se podia sentir calma e criativa quando colocava o seu telemóvel em
modo «Não Incomodar» de vez em quando. Uma
hora sem o teu telemóvel não é tão mau assim e, de
facto, até é saudável. Estudos apuraram que uma
pausa no tempo passado frente a qualquer ecrã antes de ir para a cama possibilita um sono mais profundo e melhor concentração no dia seguinte.

## Capítulo Oito
# OS OPOSTOS ATRAEM-SE

Dia 5 de março de 1975. Estava uma noite fria e chuvisca-va em Menlo Park, Califórnia. Trinta engenheiros reuniam--se numa garagem. Intitulavam-se o Homebrew Computer Club e este era o seu primeiro encontro. A sua missão: tor-nar os computadores acessíveis às pessoas comuns. (Esta era uma tarefa de respeito numa altura em que a maior parte dos computadores eram lentos, máquinas do tamanho de um SUV que só as universidades e grandes empresas tinham meios para adquirir.)

A garagem estava gelada, mas os engenheiros deixaram as portas abertas ao ar húmido da noite para que as pessoas pudessem entrar. Um jovem inseguro de vinte e quatro anos entrou; era *designer* de calculadoras para a Hewlett-Packard. Tinha cabelo comprido pelos ombros, usava óculos e barba de cor castanha. Embora estivesse satisfeito por estar entre algumas almas gémeas, não falou com ninguém naquela garagem – era demasiado tímido para isso. Sentou-se numa cadeira e escutou em silêncio enquanto os outros se maravilhavam com um novo computador «faça você mesmo» chamado *Altair 8800*, que tinha sido recentemente a capa da revista *Popular Electronics*. O *Altair* não era um verdadeiro computador pessoal; era difícil de usar e apelava apenas ao tipo de pessoa que aparece numa garagem numa noite chuvosa de quarta-feira para falar de *microchips*. Mas foi um importante primeiro passo.

O jovem – Stephen Wozniak (mais conhecido como Steve, ou Woz, como é chamado pelos amigos) – ficou encantado ao ouvir falar do *Altair*. Desde os seus três anos que era obcecado pela eletrónica. Quando tinha onze anos descobriu um artigo de uma revista sobre o primeiro computador, o ENIAC, ou *Electronic Numerical Integrator and Computer*, e desde então o seu sonho passou a ser construir uma máquina tão pequena e fácil de usar que se pudesse ter em casa.

Naquela noite foi para casa e fez o seu primeiro esboço de um computador pessoal, com um teclado e um ecrã em tudo idênticos aos que hoje usamos. Começava a sentir-se como se O Sonho – pensava nisso com maiúsculas – pudesse um dia ser verdade.

Três meses depois construiu um protótipo daquela máquina. E dez meses depois disso, ele e Steve Jobs cofundaram a Apple Computer.

Tenho a certeza que conheces a Apple como a companhia que criou os iPhone, iPad, MacBook e muitos outros produtos. O recentemente falecido Steve Jobs era uma figura eloquente em Silicon Valley, Califórnia, e acabou por se tornar o rosto da empresa. Para além do seu génio como programador, ficou conhecido pelo seu afiadíssimo instinto para os negócios e pelas suas carismáticas apresentações. Mas a Apple começou através de uma parceria de Jobs e Woz. Woz foi quem na realidade inventou o primeiro computador *Apple* – silenciosamente, nos bastidores. Juntos, estes dois tipos de personalidade completamente diferentes – um introvertido, outro extrovertido – deram forma à marca Apple.

Quando lemos o relato de Wozniak sobre o seu processo de trabalho com aquele primeiro computador pessoal, o aspeto mais surpreendente é que ele esteve sempre sozinho. Fez grande parte do trabalho no seu gabinete na Hewlett-Packard. Chegava por volta das seis e meia da manhã e, sozinho de manhã bem cedo, lia revistas de engenharia, estudava manuais de circuitos eletrónicos e preparava os planos na sua cabeça. Depois do trabalho ia para casa, fazia uma refeição rápida, depois voltava de carro para o escritório e trabalhava noite fora até bem tarde. Para ele, este período de noites em silêncio seguidas de tranquilas alvoradas foi um tempo maravilhoso e revigorante. Os seus esforços foram compensados na noite de 29 de junho de 1975, cerca das dez horas, quando Woz acabou de construir um protótipo da sua máquina. Premiu algumas teclas e as letras apareceram no ecrã à sua frente. Foi uma espécie de momento de descoberta com que a maioria de nós só pode sonhar. E ele estava sozinho quando isso aconteceu.

Num momento como aquele, muitas pessoas quereriam celebrar com os amigos, mas Woz preferiu a solidão. A sua invenção mudou o mundo tecnológico e, graças à parceria com um extrovertido que queria criar uma empresa em torno da brilhante invenção de Woz, abriu caminho até aos olhos do público. Não haveria Apple sem Steve Jobs, como todos sabemos – mas também não haveria Apple sem Steve Wozniak.

## UMA PARCERIA PODEROSA

O meu marido é um extrovertido declarado e complementamo-nos de muitas e maravilhosas formas. Pode ser incrivelmente poderoso fazer par com alguém que tem uma disposição oposta à nossa. Foi o que fez Davis quando colocou a sua eleição no oitavo ano nas mãos da sua prima líder da claque da escola, Jessica.

Ou consideremos a história de James e Brian, estudantes que se aliaram para ganharem as eleições para codelegados de turma na sua escola privada de Manhattan. Tudo se passou deste modo.

Quando criança, podia muitas vezes encontrar-se James a brincar sozinho, mas não era antissocial. De facto, ele tinha bastantes amigos, mas precisava daquele tempo tranquilo para si, para jogar com as suas cartas Pokémon e brincar. Na escola primária foi o defesa central titular da equipa de futebol e era o patrão da defesa no campo, embora o papel não lhe assentasse muito bem; sentia-se constrangido a gritar instruções para os seus companheiros de equipa. O treinador encorajava-o a falar mais alto, mas, por muito que tentasse, nunca se sentiu suficientemente sonoro.

James frequentava a mesma escola desde os três anos. Tinha notas excelentes, mas tal como no campo de futebol, recebia muitas vezes os usuais comentários «precisa de falar mais» nas suas fichas de avaliação. Contudo, ao completar o oitavo ano aconteceu algo que encorajou James a encontrar o seu próprio caminho e a avançar. Enquanto as famílias e amigos se juntavam para a cerimónia, ao abrigo de uma enorme tenda, os professores anunciaram quais os estudantes que iam ser premiados pelo seu trabalho em diferentes matérias.

James sabia que tivera um excelente desempenho em Francês naquele ano, por isso quando o seu nome foi anunciado como o melhor estudante naquela matéria, não ficou surpreendido. Mas, alguns minutos mais tarde, voltou a escutar o seu nome. Desta vez tinha ganho o prémio máximo em História. Dois prémios? «Estava em choque», refere. E o mesmo se passava com os seus colegas de turma. Embora conhecesse a maioria deles há uma década, poucos sabiam como ele era bom estudante. Os jovens não paravam de o vir felicitar e confessavam que não faziam a mínima ideia de ele ser tão estudioso.

O reconhecimento reforçou-lhe a confiança, permitindo--lhe sonhar um pouco mais alto. James queria envolver-se mais nos serviços da comunidade, contribuindo para mudanças positivas na escola, e parecia que a melhor maneira de conseguir estes objetivos seria candidatar-se a delegado de turma. Desnecessário será dizer que esta era uma ideia assustadora. Ele não se sentia sequer confortável a liderar a defesa da sua equipa de futebol da escola. Representar toda uma turma de estudantes inteligentes e voluntariosos? Isso era um desafio de outra ordem. E havia um pequeno problema adicional no seu plano. A sua escola determinava a eleição de dois codelegados de turma, não elegia um só estudante. Se quisesse liderar, teria de encontrar um colega para o acompanhar.

Esse companheiro viria a ser Brian, que também frequentava a escola de James desde o jardim infantil, mas os dois eram amigos há pouco tempo, desde que tinham frequentado o mesmo campo de verão e caminhado pelas margens do lago conversando acerca de desportos, raparigas e sobre a vida. Quando setembro chegou, começaram a almoçar juntos e a trocar impressões *online* depois das aulas. Brian sempre encarara James como um dos jovens mais populares, uma vez que a sua propensão desportiva o ligara com aquele grupo. Brian considerava-se mais do género cromo. Era o tipo de jovem que gostava mais de ler a *National Geographic* do que andar aos chutos a uma bola.

Poderia esperar-se que Brian, mais reservado, fosse mais tímido do que o atlético James, mas não era assim. Brian ganhava vigor com a energia do olhar público. Nas aulas era rápido a erguer a mão e quando estava em grupo procurava ativamente assumir o papel de líder. Ele e James eram diferentes em quase todos os aspetos. Brian em breve ficou vinte centímetros mais alto do que James e adorava falar. Embora James tivesse sido premiado ao concluir o oitavo ano, os estudantes tinham escolhido Brian para falar na cerimónia. Ele precisava de estar na ribalta. James, por sua vez, preferia trabalhar calmamente nos bastidores. Em determinado momento as suas conversas começaram a voltar-se para a ideia de poderem ser delegados de turma. Quanto mais falavam, mais se apercebiam que eram dois colegas perfeitos para se candidatarem.

Porém, o processo de eleição era aterrorizador para James. Ele já tinha definido o seu programa. Candidatava-se com a esperança de que a escola iria aumentar os seus esforços de serviço à comunidade. Mas a ideia de pedir às pessoas para votarem nele era enervante. Preocupava-o o facto de solicitar apoio poder parecer presunçoso ou hipócrita, ou que os colegas pudessem pensar que se candidatava apenas para dar mais força ao seu currículo e conseguir entrar numa boa universidade. No entanto, à medida que James perseverava, tornou-se óbvio que os seus receios eram infundados. Quando apresentava o seu programa a um estudante de cada vez, ou por vezes a pequenos grupos, eles escutavam-no.

Sem sequer procurar causar boa impressão, James conquistara já a reputação de ser uma pessoa séria e dedicada. Os seus colegas de turma confiavam nele e acreditavam que quando *realmente optava* por falar, muito provavelmente tinha algo interessante para dizer. E mais, não andava à procura de atenção; nem sequer gostava assim tanto de a ter concentrada em si! Fazia-o porque estava genuinamente pronto para assumir as responsabilidades do conselho de estudantes.

James nem sabia quantas vezes praticara o seu discurso, consciente de que, ao contrário do seu companheiro extrovertido, não era o tipo de pessoa que pudesse levantar-se e improvisar. Estava quase em pânico quando se encaminhou para o palco, mas assim que começou a falar, ganhou mais à vontade. «A audiência começou a reagir bem e eu pensei: "Consegui!"»

Os dois amigos ficaram encantados quando ganharam a eleição.

Contudo, de início, Brian teve de esforçar-se para compreender o seu parceiro silencioso. Os codelegados começaram por convocar uma espécie de reunião de governo dos estudantes durante a qual os jovens podiam partilhar as suas ideias e debater as diferentes iniciativas. Antes da reunião, James e Brian encontravam-se para discutir a agenda. Nestas sessões a dois, James fervilhava de ideias, mas quando todos se reuniam em volta da mesa, ele parecia outro. Brian dirigia-se para a cabeça da mesa e conduzia as conversações, promovendo ativamente os debates, mas James raramente dizia uma palavra. Os outros jovens começaram a interrogar-se sobre se James estaria na verdade a dar algum contributo e o próprio Brian começou a duvidar do seu amigo. «Eu andava um pouco incomodado, e disse-lhe algumas vezes que gostava que ele fizesse mais, mas depois entendi que não se trata de fazer mais e dizer mais. Trata-se do significado por detrás do que estás a fazer e a dizer.»

Com o tempo, Brian começou a constatar que James interagia com outros estudantes num nível diferente. James desenvolvia os seus esforços a falar com estudantes individualmente, incluindo jovens que não eram do seu ano nem do seu círculo de amigos. Frequentemente, estes estudantes tinham ideias inesperadas e James apresentava essas propostas na reunião privada com Brian. Numa determina ocasião, Brian andava a tentar avançar com a organização de um dia sem aulas, inteiramente dedicado a prestar serviço à comunidade, mas nas reuniões com os estudantes obtinha respostas mistas. Simultaneamente, James tinha andado a falar com outro estudante acerca de um retiro sem aulas. Este jovem pensava que seria uma boa ideia para os estudantes hipercompetitivos haver um dia em que eles pudessem simplesmente relaxar, sem terem que procurar obter melhores classificações do que os outros num teste ou fazerem algo que sentissem como trabalho. A ideia também encontrou eco em James, por isso dirigiu-se a Brian e sugeriu que os jovens da turma podiam usar a oportunidade para estabelecerem laços de amizade. Brian levou a ideia à reunião de estudantes. Desta vez foi aprovada e Brian percebeu que o seu amigo tinha um papel diferente do seu para desempenhar. James nunca iria falar alto nas reuniões, mas ia escutar, tanto nas sessões em grupo como nos corredores da escola.

Brian acabou por compreender o seu parceiro silencioso a um nível mais profundo. «No início, eu sentia-me bem quando era sempre o primeiro a falar e a evidenciar-me, mas depois ficava à espera que ele me seguisse para dizer o que pensava, em voz alta e expansivamente», recorda Brian. «Levei algum tempo a compreender que ele não é assim. Não só não se sente à vontade, como não é nisso que ele é bom. Não é esse o seu estilo de liderança.»

Quanto mais trabalhavam em conjunto, mais evidente se tornava que James e Brian eram bem-sucedidos, não *apesar* das suas diferenças, mas *porque* eram opostos. «Se ele fosse mais parecido comigo, teríamos muito menos sucesso», afirma Brian. «Eu não gostaria que ele mudasse. É benéfico para mim, em termos da nossa amizade e do trabalho em conjunto, que ele seja mais reservado e tranquilo.»

Não há personalidades certas ou erradas. Eu elogio os jovens e adultos tranquilos e silenciosos porque eles são muitas vezes negligenciados, mas não é de mais realçar que tanto introvertidos como extrovertidos têm as suas forças próprias. E não nos devíamos associar apenas porque nos tornamos mais influentes ou produtivos. Também podemos constituir amizades fantásticas. Enquanto crescia sempre tive amigos extrovertidos, e há muito a ganhar, em termos de maturidade, crescimento pessoal, e em sairmos da nossa zona de conforto, quando somos amigos de diferentes tipos de pessoas. O extrovertido Brian viu isso na sua relação com James. «É bom ter alguém como ele como amigo. Se quero ter algum tempo relaxado e tranquilo, posso tê-lo. Só não podemos passar horas a jogar pingue-pongue e a falar.»

## «YIN» E «YANG»

Através do *yin* e o *yang* de pares como James e Brian, podes ver como introvertidos e extrovertidos podem constituir parcerias e amizades incrivelmente poderosas. Amigos afins são muito especiais e reconfortantes, mas pode ser igualmente interessante, por vezes até mais, relacionarmo-nos com pessoas completamente diferentes de nós. Temos tanto a aprender com elas!

Grace também descobriu que isto é verdade. «As minhas duas melhores amigas eram extrovertidas gritantes», conta ela. «Gostavam de percorrer diversas mesas ao almoço e sentar-se com os diferentes grupos.»

De início, faltava a confiança suficiente a Grace para ela mesma fazer aquilo. Preocupava-a o que os jovens podiam pensar dela, especialmente por ser reservada e calada. Mas as suas amigas fizeram-na sentir-se mais à vontade para ampliar a sua vida social. «Elas ajudaram-me a conhecer muitas mais pessoas. Estão constantemente a desafiar-me; ao estilo, "Vamos até à piscina! Vamos à biblioteca! Vamos ao centro comercial! Vamos a qualquer lado!"»

E apesar disso, esta amizade não era nada forçada. Aquelas jovens procuravam Grace e faziam amizade com ela porque ela era refrescantemente diferente delas. As mais expansivas também começaram a mudar, agora que conheceram algumas das vantagens da vida tranquila. Os pais delas falaram com entusiasmo à mãe de Grace sobre como ela conseguia manter as suas filhas sossegadas. Sem ela, brincavam eles, as raparigas bem poderiam sair em turbilhão para o universo com todo o seu excesso de energia social. Uma noite, no sétimo ano, por exemplo, um grande grupo de raparigas ia sair e Grace declarou que tinha planeado ficar em casa. Achava que precisava de uma noite sossegada. De facto, para surpresa da sua mãe, uma daquelas ruidosas extrovertidas, o tipo de rapariga que nunca perde uma saída, decidiu acompanhar Grace. Disse às outras que não ia com elas porque, «Quero ficar com a Grace».

De acordo com a pediatra Marianne Kuzujanakis, os jovens são atraídos para os seus opostos porque estes têm qualidades que eles admiram e de que sentem falta em si próprios. Mencionou um rapaz introvertido de nove anos que conhecia bem e que tinha uma grande amizade com uma rapariga extrovertida. Ele gostava dela pela sua personalidade franca e enérgica, e admirava a capacidade que ela tinha de se dirigir diretamente às pessoas e falar com elas. Todavia, a rapariga beneficiava em igual medida da amizade entre ambos. «Ela observava-o e via que era bom ser silencioso. Ela gostava dele pela calma que ele tinha.» Os dois frequentavam juntos aulas de *tai chi* e, mesmo naquele ambiente, eram claras as diferenças entre as forças de ambos. «Ela admirava como ele era bom no aspeto da meditação, como isso emanava naturalmente dele, e ele encantava-se com a forma como ela interagia tão facilmente com todos os membros do grupo.»

Há poucos anos, uma psicóloga chamada Avril Thorne preparou uma experiência para explorar as interações sociais entre introvertidos e extrovertidos. Thorne procurava especialmente saber como os dois grupos contactavam por telefone. A experiência juntou cinquenta e duas jovens – introvertidas e extrovertidas, em partes iguais – e combinou-as a conversar aos pares. Muitas pessoas assumem que os introvertidos são sempre calados, mas o estudo revelou que eles falam tanto como os seus opostos em personalidade. (Qualquer uma das minhas amigas da escola secundária poderia dizer-te isto, pois falávamos durante horas ao telefone – era o que os jovens faziam naquele tempo – noite após noite.) Na experiência, quando as introvertidas falavam com outras introvertidas, tendiam a focar-se apenas em um ou dois assuntos sérios ou profundos. Por outro lado, quando as extrovertidas eram combinadas com outras extrovertidas, tinham a tendência de tocar em toda uma gama de assuntos, sem aprofundar qualquer deles. Os resultados verdadeiramente interessantes apareceram quando as introvertidas foram combinadas com as extrovertidas. Ambos os grupos referiram que estas conversas eram as mais agradáveis. As inquiridas preferiam falar com as suas opostas. As introvertidas achavam que conversar com alguém mais falador tornava a conversa mais alegre e divertida. As raparigas extrovertidas do grupo disseram que achavam as conversas mais sérias e profundas. Com efeito, as inquiridas acabaram por se encontrar a meio caminho e descobrir a combinação ideal de conversa alegre com conversa mais séria.

## FAZER PAR COM EXTROVERTIDOS

Para além de aprenderem uns com os outros, introvertidos e extrovertidos descobrem frequentemente que se equilibram. À medida que fores conhecendo pessoas que são diferentes e mais extrovertidas do que tu, pensa nestas sugestões:

RECONHECE O TEU VALOR: Não receies fazer amizade com outros que são mais expansivos do que tu. Eles irão valorizar a tua ponderação e a tua calma e ambos beneficiarão igualmente um do outro.

OBSERVA E APRENDE: Não estou a sugerir que trates a tua amizade com um extrovertido como uma espécie de tutorial, mas procura aprender com ele, e tenta encontrar formas de expandir a tua zona de conforto. E deixa que ele também aprenda contigo!

RECONHECE OS TEUS LIMITES: Procura ampliar horizontes conhecendo pessoas novas, comparecendo em festas e aventurando-te em outros territórios amigos dos extrovertidos, mas cuida igualmente das tuas necessidades interiores. Faz uma pausa quando quiseres; fica em casa quando todos os outros saem, se for isso o que precisas.

**SINTONIZA-TE COM QUEM TENHA AS CAPACIDADES DE QUE PRECISAS:** Deixa-te inspirar pelo *yin* e pelo *yang*. Há alguém que estejas a seguir no Twitter que tem sempre as respostas mais espirituosas? Ou um familiar que parece ter sempre energia para dispensar? Pensa no que fariam ou em qual o tipo de conselho que te dariam.

# TERCEIRA PARTE

# PASSATEMPOS

## Capítulo Nove
# CRIATIVIDADE TRANQUILA

Muitos introvertidos dizem que têm de se esforçar para se expressarem quando estão com outros. Portanto, neste capítulo, vamos falar sobre as muitas maneiras de comunicar sentimentos e ideias sem ser através de conversa.

Provavelmente já reparaste que os teus interesses pessoais continuam a crescer ao longo dos anos e que a criatividade aparece sob várias formas. Pode expressar-se através do desenho ou da composição musical, através da escrita de programas informáticos ou do *brainstorming* de ideias para uma nova *app* ou para uma iniciativa empreendedora. Ou através de muitos outros meios. A criatividade não tem limites.

Lembras-te de Karinah, do Capítulo Um – a apaixonada por livros, de voz afável, que achava frustrantes os projetos de grupo? Quando descobre algo que lhe interessa profundamente, persegue-o com alma e coração. Recentemente, na sua igreja, reparou em alguém que tocava guitarra e a sua admiração por aquele instrumento levou-a a começar a aprender

*ukelele*, um instrumento havaiano da família do cavaquinho. Hoje, quando Karinah não está a praticar temas da TV no seu *ukelele*, escreve novas melodias para acompanhar as suas letras de canções originais.

Mas acima de tudo a grande paixão de Karinah é a escrita. Ela é praticamente viciada em encontrar ideias para contos e romances. A ficção científica e o fantástico são os seus géneros preferidos, tanto na leitura como na escrita. Com a sua capacidade de concentração durante horas seguidas, trabalha no seu computador portátil, esboçando histórias e caracterizando personagens no seu bloco de notas secreto. Quando sente que uma história já está suficientemente elaborada, partilha-a num sítio da Internet de jovens autores. «Faço-o para que os outros comentem aquilo que publiquei. Não quero forçar nada nem captar a atenção. Quero que leiam e que vejam se gostam, e que eventualmente acrescentem críticas construtivas.»

A escola de Karinah não tem recursos financeiros para oferecer aulas de Arte ou de Escrita Criativa, por isso uma das professoras de línguas decidiu fazer algo para apoiar os muitos estudantes criativos que a frequentam. Começou a organizar, uma vez por mês, um evento na sua sala de aula chamado Coffee Shop. Coffee Shop é um evento de participação livre, para o qual os estudantes são convidados a trazer um poema, uma canção, um *rap* ou outro tipo de projeto performativo em que estejam a trabalhar, para partilhá-lo com os seus colegas. Uma vez que é realizado pelos participantes, as únicas pessoas que aparecem são aquelas que realmente *querem* lá estar. Isto proporciona um ambiente entusiástico e Karinah ficou encantada ao dar por si a partilhar o seu trabalho em público e a constatar como as pessoas adoravam a sua escrita! Ao princípio, quando lia o seu trabalho em voz alta, ficava com os olhos colados ao papel. Mas ocasionalmente começou a levantar os olhos e a reparar nos olhos dos seus colegas e amigos, muito abertos, quando havia uma parte de maior suspense ou mais arrepiante, ou na forma como riam com os diálogos maliciosos e sarcásticos que escrevia para as suas personagens. A reação foi ainda melhor do que esperava. Eles gostaram!

A professora reconheceu as capacidades de Karinah e encorajou-a a inscrever-se na Girls Write Now, um programa da cidade de Nova Iorque exclusivamente para raparigas, no qual as adolescentes trabalham na sua escrita criativa frente a frente com mentoras que são profissionais da escrita. Uma vez por mês, todas as participantes se encontram para seminários sobre tópicos como escrita de poesia e jornalismo. Karinah foi aceite no programa e descobriu que estava interessada em partilhar o seu trabalho e em escutar a escrita das outras colegas nos seminários. De início, partilhar o que fazia com estranhas era enervante, mas também sentia que era uma oportunidade preciosa para crescer como escritora. Obter resposta em pessoa de outras escritoras da sua idade, bem como de adultas, foi uma revelação. Karinah sentia-se confortada ao ouvir as palavras e os pensamentos das suas colegas criativas de todas as idades.

Partilhar o teu trabalho escrito ou artístico, tal como representar num palco, pode exigir muita coragem. Nós, os introvertidos, podemos não parecer dispostos a divulgar os nossos pensamentos ou talentos ao mundo, mas quando o fazemos, os resultados podem ser espetaculares.

Repara neste exemplo de uma jovem e tranquila mulher chamada Jo que um dia embarcou num comboio para a Escócia. Enquanto olhava pela janela para os campos repletos de vacas, imaginou subitamente um *rapaz* que viajava de comboio, rumo a uma escola de aspirantes de feiticeiro. A escola fervilhava de todos os tipos de personagens imaginárias – amigos, inimigos, feiticeiros e criaturas místicas. Jo precisou de vários anos e incontáveis lutas e páginas rescritas, mas continuou a trabalhar e alguns anos mais tarde tinha finalmente uma história completa e datilografada. Dois anos depois disso, o seu romance foi finalmente publicado. O seu título era *Harry Potter e a Pedra Filosofal*, e a introvertida autora do livro, J. K. Rowling, escreveria ainda mais seis romances sobre o rapaz do comboio.

# QUERIDO DIÁRIO

«Escrever é algo que se faz a sós», diz o famoso autor John Green. «É uma profissão para introvertidos que querem contar uma história mas que não querem entrar em contacto visual enquanto o fazem.»

Quando era mais nova, o meu meio de comunicação preferido era um diário fora de moda, que até tinha fechadura e chave. Quando ocasionalmente escrevia histórias, o diário era o meu lugar de verdade e confissão. Existia à parte do mundo, nunca o partilhei com a minha família nem com amigas. Ajudou-me a organizar e racionalizar as minhas ansiedades da infância e da adolescência. Se alguém tivesse lido o meu diário, teria sido um acontecimento chocante para mim. Mas este hábito de me expressar por escrito foi um treino para ser uma escritora sincera.

Um diário não tem necessariamente que assumir a forma de um livro encadernado e com fecho. Maggie mantém uma nota no seu telemóvel que vai sendo alimentada diariamente. «Gosto de escrever os meus sonhos para depois me lembrar deles. Escrevo sobre ideias que tenho ou coisas que me despertaram interesse, mas que receio ter azar se as partilhar em voz alta com alguém.»

Enquanto estudante do ensino secundário, Jared, da Califórnia, escrevia livremente, ao correr da pena, no seu computador. «Era o meu escape», afirma. «Era a maneira de eu sobreviver quando tinha a cabeça prestes a explodir. Muito do que escrevia eram ansiedades, pensamentos muito pessoais sobre pessoas e situações ou conflitos por que estava a passar. Era uma maneira de aliviar a tensão.»

Jared praticamente não voltou a ler o que escreveu. Martelava os seus pensamentos no teclado e depois preparava-se para dormir. «Eu escrevia, lavava os dentes e depois ia para a cama», conta-nos. «A minha cabeça ainda poderia estar em tumulto, mas estava já muito mais calma. Era um peso que eu tirava dos meus ombros.»

## O BLOGUISTA RELUTANTE

Mas, escrever não é apelativo para todos. Um tímido adolescente de New Jersey chamado Matthew ficou incomodado quando o professor deu instruções aos alunos da turma para criarem os seus próprios blogues. Matthew gostava mais de Ciências e de Matemática do que de Inglês e pensou que as entradas no blogue iam ser apenas mais outro trabalho de escrita, como o resumo de um livro. Mas afinal os estudantes podiam escrever sobre tudo o que quisessem. Quando Matthew definiu como imagem de fundo o clássico jogo de vídeo *Legend of Zelda*, sentiu-se mais em casa. «Era muito mais um canal criativo do que aquilo que eu estava à espera», refere. «Podia realmente expressar-me.»

Normalmente, Matthew permanecia calado durante as discussões na aula. Acompanhava-as, mas nunca conseguia formular as suas respostas a tempo, ou com confiança suficiente para dar o seu contributo. Consequentemente, não era frequente partilhar os seus pensamentos, ideias e interesses com os outros. O blogue ofereceu-lhe esse canal de comunicação e dava-lhe tempo. Podia escrever ao seu ritmo. Uma das suas publicações foi sobre K-pop, música pop coreana. Publicou um vídeo de uma das suas canções preferidas e algumas pessoas comentaram. Uma rapariga da turma abordou-o para lhe dizer que partilhava o seu gosto e isto veio originar uma troca de mensagens. «Não nos conhecíamos muito bem, mas passámos a conversar muito mais do que era costume», recorda ele, mais tarde. «Na verdade tornámo-nos bastante bons amigos.»

No final do ano letivo, escreveu sobre como tinha gostado de expressar as suas ideias online, e depois brincou que talvez os blogues fizessem parte de uma conspiração para transformar introvertidos em extrovertidos. Mas, evidentemente, ele não se convertera. A sua personalidade não mudara. Matt sempre fora divertido e vivaz; simplesmente tinha descoberto uma maneira nova e mais confortável de partilhar aquela faceta de si mesmo.

## ARTE

Jaden é um rapaz de doze anos com uma imaginação viva que por vezes luta para ligar o mundo no *interior* da sua cabeça com o *exterior*. Por isso começou a procurar encontrar uma maneira de desfrutar do santuário da sua mente ao mesmo tempo que partilhava a sua imaginação com outros.

Descobriu esse equilíbrio quando desenhava, sobretudo figuras fantásticas, como dragões. Pensava nisso enquanto estava na escola, por vezes durante a aula de Matemática, admite, ou quando andava de *skate*, e depois, quando chegava a casa, passava tudo para o papel. «Recentemente desenhei esta paisagem e há um unicórnio com um grifo sobre ela e eles estão nesta cascata misteriosa», diz Jaden, com uma gargalhada. «Os meus amigos acham isto maravilhoso. Muitos deles também desenham, e começámos a mostrar uns aos outros os nossos trabalhos. Eu sinto-me extremamente bem a partilhar o meu, porque assim todos veem o que se passa dentro da minha cabeça.»

Para Julian, a sua criatividade chegou através da fotografia. «Olhar para o Instagram fez-me sentir como algo excluído das coisas fixes que os outros jovens faziam. Depois apercebi-me que não tinha de folhear as fotos dos outros e ficar preso ao ecrã. Em vez disso, bem podia de facto aprender a fazer eu mesmo boas fotos.» Foi assim que Julian e o seu melhor amigo, Andre, decidiram começar a dedicar-se à captura de belas e artísticas fotos. «Saímos os dois juntos para fazer fotos apenas com os nossos telemóveis. Vamos ao parque, à praia, ou passeamos junto ao canal em Red Hook, em Brooklyn. Podemos fazer fotos em todo o lado. Há assuntos interessantes em toda a parte. E não nos limitamos a registar momentos e pessoas, por vezes são enquadramentos de especial beleza ou o contraste da luz. Afinal, é apreciar as coisas ao acaso e conferir--lhes significado.»

Ao transformar em algo artístico as pequenas coisas que observa, Julian criou fotos de que está orgulhoso. Delas recolhe algo mais do que «gostos» no Instagram; recolhe uma espécie de orgulho criativo.

Os introvertidos dão um enorme contributo para as artes criativas. Pixar, a inovadora empresa de animação por detrás de filmes como *Toy Story – Os Rivais*, *Monstros e Companhia*, *Divertida Mente,* conta com um introvertido, Ed Catmull, ao leme. E Pete Docter, realizador da Pixar, diz que enquanto criança, desenhar ajudava-o a lidar com o seu «medo de contactar com os outros. Era um meio de fuga, criar sozinho o meu próprio pequeno universo». Docter também acha que trabalhar com a sua equipa da Pixar é tão esgotante como empolgante. Diz que, quando estava a trabalhar no filme *Monstros e Companhia,* ao final do dia, só queira estar sozinho. «Queria ir refugiar-me na minha cave, debaixo da minha secretária, sei lá.» De facto, a sua ideia para o filme *Up - Altamente* foi inspirada pela fantasia que penso ser comum a muitos introvertidos: voar para longe daquilo que nos rodeia em direção a algum sítio, a salvo e sozinhos.

## O PODER DA INDEPENDÊNCIA

Os introvertidos têm uma capacidade notável para serem independentes. Encontramos força na solidão e somos capazes de usar o nosso precioso tempo a sós para nos focarmos e concentrarmos.

Em tempos, um comentador desportivo referiu-se a isto como «o trabalho solitário» que precisa de ser feito para se conseguir dominar uma competência. Os psicólogos dão-lhe outro nome: «prática deliberada». Em termos simples, significa fazermos algo sucessiva e repetidamente, sempre concentrados na aptidão que está fora do alcance, até sermos capazes de o fazermos perfeitamente.

Seja o que for que lhe chamemos, o trabalho focado, decidido e frequentemente solitário é fundamental para o domínio de muitos dos objetivos que possamos nomear, incluindo os desportos de equipa.

Nós, introvertidos, somos especialmente dotados para a prática solitária nos domínios da música, desporto e outros. A estrela de basquetebol Kobe Bryant, por exemplo, costumava efetuar mil saltos de lançamentos em suspensão diariamente. O jovem pianista Conrad Tao, que atuou com lotação esgotada no famoso Carnegie Hall de Nova Iorque, quando tinha apenas dezassete anos, passou a maior parte dos anos da sua adolescência no apartamento da família, aperfeiçoando o seu talento ao teclado enquanto os seus pais se encontravam a trabalhar. O músico que estudou em casa passava quatro horas ao piano e duas ao violino antes de começar os seus estudos académicos normais.

E há o caso de Steve Wozniak, o inventor do *Apple* que conhecemos no último capítulo. Woz diz que desde criança praticou engenharia. Na sua biografia, *iWoz*, descreve a sua paixão pela eletrónica. Construiu o seu conhecimento especializado dolorosamente, passo a passo, participando em incontáveis feiras de ciência. «Adquiri uma capacidade fundamental que viria a ajudar-me ao longo de toda a minha carreira: paciência... Aprendi a não me preocupar tanto com o resultado final, mas sim a concentrar-me no passo que estava a dar e a fazê-lo da maneira mais perfeita possível.»

Woz trabalhava muitas vezes sozinho. Famosamente conhecido como um indivíduo sociável, teve numerosos amigos durante o ensino primário. Mas como sucede com muitos jovens com inclinações técnicas, teve uma dolorosa queda na escada social quando passou para o ensino básico. Enquanto garoto fora admirado pela sua propensão para a ciência, mas agora parecia que ninguém dava importância a isso. Odiava conversa fútil e os seus interesses não coincidiam com os dos seus colegas. Mas as dificuldades dos seus primeiros anos no ensino básico não o impediram de perseguir o seu sonho; provavelmente alimentaram-no. Nunca aprenderia tanto sobre computadores, diz Woz agora, se não tivesse sido demasiado tímido para deixar a casa.

Ninguém escolhe este tipo de adolescência sofrida, mas o facto é que a solidão da juventude de Woz e o seu foco de um só objetivo sobre aquilo que se tornaria numa paixão para a vida, é característico de pessoas altamente criativas. De acordo com o psicólogo Mihaly Csikszentmihalyi, que entre 1990 e 1995 estudou as vidas de noventa e uma pessoas excecionalmente criativas em artes, ciências, empresas e administração, muitos dos indivíduos estudados tinham sido socialmente marginalizados durante a adolescência, em parte porque «a intensa curiosidade ou o interesse muito focado pareciam estranhos aos seus colegas». Adolescentes que são demasiado gregários para passarem tempo sozinhos não conseguem frequentemente cultivar os seus talentos «porque praticar música ou estudar matemática exige uma solidão a que eles têm aversão».

## O MAESTRO INTROVERTIDO

Maria é uma aluna do ensino básico na Califórnia cuja história tem tudo a ver com fazer «o trabalho solitário». Maria achava a escola desgastante. Ao final da manhã já estava tão cansada que subia a uma árvore à hora de almoço e comia sozinha. Alguns dos seus amigos mais chegados eram os seus opostos perfeitos. Falavam alto, eram ruidosos e sentiam-se felizes no meio de grandes grupos. Achavam que o facto de ela se esconder numa árvore durante o almoço era estranho, mas Maria não se importava. Para ela, era uma parte necessária do dia na escola. No alto dos ramos podia recarregar as baterias para as atividades da tarde. O conforto da solidão de Maria permitia-lhe desenvolver alguns passatempos produtivos. Quando tinha apenas dez anos, escreveu uma história de dez mil palavras e praticou diligentemente violino. Maria gostava especialmente de música *bluegrass* e de rabeca, duas tradições que envolvem círculos ou até grandes grupos de músicos a tocarem em conjunto de improviso. Decidiu que queria tocar com outros músicos num desses grupos e a mãe, algo surpreendida, apoiou o pedido. Uma vez que Maria era muito nova para tocar em bares onde estes músicos tipicamente atuam, procuraram outros cenários. Numa das suas primeiras aventuras, foram de carro até um parque onde um grupo de músicos tocava nas tardes de domingo.

«Se a sua filha é muda, devia ter-nos dito», disse um dos músicos depois da sessão musical. «Estamos mais do que felizes por poder acolhê-la, mas é muito difícil trabalhar com alguém que tem uma deficiência e não o saber.»

«Ela não é muda», corrigiu a mãe de Maria. «É tímida.»

Continuaram a procurar e descobriram uma sessão de música de rabeca num café de ambiente artístico não longe de casa. Numa tarde de fim de semana chegaram quando o grupo já estava a tocar. A mãe de Maria deixou que fosse ela a conduzir o assunto. Maria sentou-se numa mesa próxima da banda, suficientemente próxima para ouvir e tocar, se necessário.

Os membros do grupo eram de idades e etnias diferentes, mas Maria era pelo menos quarenta anos mais nova do que o mais novo deles. Puxou uma cadeira e preparou-se para tocar. Quando o músico que tocava banjo mudava de tom, todos tinham também que mudar, e os músicos, à vez, escolhiam uma canção naquele tom. Passado pouco tempo, a

organizadora do grupo, uma senhora mais velha, voltou-se para Maria e disse-lhe: «Bem, é a tua vez. O que é que conheces em si?»

«Tudo bem», respondeu Maria. «Eu passo.»

A senhora abanou negativamente a cabeça.

«Não aceitamos passagens. Não consegues lembrar-te de nada em si?» «Não», respondeu Maria.

A mãe de Maria sabia que quando a filha deu aquela resposta monossilábica, falava a sério. Não valia a pena tentar pressioná-la.

Mas a senhora não conhecia Maria e não ia deixar que aquele simples «Não» a detivesse. «Está bem», disse ela, «vou começar a tocar algumas canções em si e quando eu chegar a uma que conheças, diz-me para parar. E a seguir, fazes tu o solo dessa canção.»

A senhora começou a tocar. Maria ouviu com atenção. Ao fim de algumas canções começou a acenar. «Conheço essa», disse. «Ótimo», disse a senhora, «agora faz o teu solo.»

Enquanto Maria conduzia os músicos, a mãe observava-a com orgulho. Quando Maria chegou a casa depois da *jam session*, correu para o quarto para fazer uma lista de todas as canções que conhecia, organizadas por tom. Na sessão seguinte levou a lista com ela. Eventualmente, a senhora que dirigia o grupo perguntar-lhe-ia: «O que tens na lista, Maria?»

Maria não gostava de ser destacada num grupo, mas tocar música fazia com que se sentisse criativa e entusiasmada e podia expressar-se através das melodias. Por isso reuniu todas as suas forças e ultrapassou a timidez. A sua natureza introvertida podia ter parecido uma desvantagem naquela situação, mas de facto foi a razão por que foi capaz de se adaptar tão facilmente. A sua dedicação ao instrumento e a alegria que retirava da prática diária a sós fizeram com que se tornasse uma melhor executante e com melhor ouvido. Ela não se juntou àquele grupo de músicos adultos *apesar* da sua natureza silenciosa. Juntou-se *porque* era introvertida. E a sua base de fãs continuou a crescer. Quando na escola se espalharam as notícias sobre o talento de Maria como instrumentista, os estudantes começaram a abordar o professor de Música pedindo-lhe para falar com Maria para formar uma banda com eles.

## EXPRESSA-TE TRANQUILAMENTE

Um dos grandes superpoderes dos introvertidos é a nossa capacidade para mergulhar profundamente num projeto e focarmo-nos durante longos períodos. Quando combinamos isto com a nossa verve criativa, os resultados podem ser poderosos, conduzindo-nos por caminhos inesperados e maravilhosos. Podes optar por manter os resultados destas divagações fechados à chave, ou podes querer partilhá--los com o mundo. Mas seja como for, aprenderes a expressar-te com sinceridade, confiança e com emoção pode ser compensador.

Aqui tens algumas indicações para te ajudar a começar:

**ENCONTRA O TEU MEIO:** Talvez descubras uma *app* para criar ritmos, ou uma receita que te inspire a cozinhar algo de completamente novo. Talvez tudo o que precises seja um lápis afiado para escrever ou desenhar. Procura identificar os meios de te exprimires que sentes como naturais e que te entusiasmam.

**SÊ PRODUTIVO:** Quando identificares este chamamento, persegue-o com energia e com paixão. Mergulha nele. Pratica. Pratica. Pratica.

**PROCURA INSPIRAÇÃO EM MODELOS E ALIADOS:** Descobrir modelos que também sejam introvertidos pode mostrar-te que os teus objetivos são alcançáveis. Há pessoas exatamente como tu que têm sido amplamente reconhecidas pela sua criatividade, carisma e inteligência. (Encontrarás o perfil de muitas delas no sítio da Internet Quiet Revolution, Quietrev.com.)

**EXIGE PRIVACIDADE:** Alguns diários são para nunca ser lidos, e alguns projetos são teus e só para ti. Cria um espaço seguro para escreveres ou criares sem teres de te preocupar sobre o que pensam os outros. Aprecia a sós o facto de teres projetos…

**MAS NÃO TE ESQUEÇAS DE PARTILHAR:** Deixa que os outros vejam e escutem o que vai dentro da tua cabeça.

Com frequência, as pessoas hesitam em partilhar, porque receiam as críticas. Mas procura mostrar o teu trabalho a um amigo ou dois. Os seus comentários podem ser úteis, e verás que te vais surpreender com o apoio e a apreciação dos outros.

## Capítulo Dez
# O ATLETA TRANQUILO

Uma estudante universitária chamada Maggie costumava pensar no desporto como uma aspiração exclusiva para atletas populares. Tanto quanto se apercebia, estava vedado a uma pessoa voltada para os livros como ela. Mas isto foi antes de descobrir o ioga no nono ano. As saudações ao Sol e os alongamentos que praticava no seu quarto, depois de ter sido inspirada por um *podcast* que escutara, davam-lhe um impulso de ânimo pela manhã antes de apanhar o autocarro.

Os introvertidos como nós, por vezes, estamos tão mergulhados nos nossos pensamentos que uma escapadela para os nossos corpos pode ser uma saudável e bem-vinda mudança de atitude. Fazer exercício e transpirar são excelentes formas para aliviarmos a ansiedade social e a frustração e para promovermos o bem-estar mental. Isso deve-se ao facto de o exercício libertar endorfinas. As endorfinas são substâncias químicas que o nosso cérebro produz em resposta a certo tipo de estímulos. Podem aliviar-nos a dor e também estimular sensações de alegria. E o desporto não tem só que ver com aplausos ruidosos ou espírito de equipa – os desportos individuais como corrida, natação e esgrima são um excelente meio para os introvertidos libertarem energia e saborearam um pouco de euforia.

Brittany, uma jovem introvertida com quem falámos, contou-nos como se voltou para a dança. Sempre adorara dançar, mas os tradicionais e muito frequentados bailes de escola eram-lhe insuportáveis. No entanto, pelos seus catorze anos, o irmão mostrou-lhe o que era o *swing*, o estilo de dança de pares dos anos 20 que estava de novo em voga. Ficou tão impressionada com o *swing* que convenceu um amigo mais velho a acompanhá-la a um salão de dança para uma sessão de *swing* todas as noites de sexta-feira. Os outros dançarinos tinham idades que iam dos nove aos noventa anos, mas a tímida Brittany viria a fazer par com todos eles. «Era um ambiente muito amigável, e dançar dava-nos alguma coisa em comum. Não tínhamos que concentrar-nos no que estávamos a dizer. Não tínhamos que dizer *nada* que não quiséssemos. Podíamos simplesmente dançar, rir e fazer patetices», recorda. Depois, Brittany e o seu amigo iam comer com alguns dos outros dançarinos. Partilharem juntos aqueles momentos de transpiração e descontração no salão de dança era um quebra-gelos tão eficaz que Brittany nem sequer se sentia nervosa ao sentar-se à mesa com um grupo de pessoas. Começou a contactar com os outros de forma completamente nova, não apenas com conversas inteligentes ou por terem uma aparência fixe.

# O PODER DA VISUALIZAÇÃO

Desde garoto que Jeff adorava praticar desporto sozinho. Treinava fintas com uma bola de futebol ou apanhava *pop flies*\* de basebol. Claro que a produção de endorfinas era fantástica, mas acima de tudo, Jeff apreciava aquele tempo para si. Tendo crescido numa pequena cidade nos arredores de Albany, Nova Iorque, gostava da maioria dos desportos e era excelente no futebol, mas só quando começou a jogar lacrosse é que sentiu uma espécie de clique na sua cabeça. O lacrosse era o ideal para ele.

Contudo, com treze anos, ele tinha que se aperfeiçoar. Alguns dos seus companheiros já dominavam o uso do bastão de lacrosse para apanharem e lançarem a bola, tanto com a mão esquerda como com a mão direita. Ele precisava de alcançá-los – e talvez até ultrapassá-los.

Jeff começou por praticar todos os dias. Corria para a sua antiga escola primária, colocava-se frente a uma parede nua de betão e lançava a bola sozinho centenas – talvez milhares – de vezes por dia. As suas capacidades e confiança dariam fruto. Tinha a profunda sensação de que estava a trabalhar mais arduamente do que qualquer outro contra quem tinha que jogar e isso dava-lhe uma vantagem. No oitavo ano, Jeff estabeleceu o recorde de pontos da escola numa época. No décimo segundo ano foi nomeado *All-American*, uma das mais altas distinções para um jogador do ensino secundário.

---

\* Bola muito alta de deslocação vertical no basebol. (*N. do T.*)

No ano seguinte, Jeff inscreveu-se em West Point, uma academia militar com cursos de quatro anos, conhecida pelo seu treino rigoroso. Aí, o seu entusiasmo pelo lacrosse não parou de crescer. As duas a três horas de treino diário eram uma pausa bem-vinda relativamente à vida intensa de um cadete, e Jeff passava muitas vezes tempo extra a treinar sozinho depois das sessões oficiais. Durante o seu primeiro ano na academia, trabalhou com um psicólogo que ajudava os atletas a melhorarem o seu desempenho. Surpreendeu-se quando se apercebeu como a psicologia podia ser fascinante. Havia tanto a aprender sobre o poder do pensamento positivo, a importância de estabelecer objetivos, e como ficar calmo e jogar bem sob pressão.

O que realmente captava a atenção de Jeff era uma técnica chamada «visualização». Isto exigia focalização tranquila e imaginação. Na sua cabeça, Jeff passava um vídeo mental do que *esperava* vir a acontecer no campo. Quando estava no gabinete do psicólogo, visualizava passagens marcantes dos seus próprios jogos e imaginava-se a construir de novo as suas melhores jogadas.

Antes dos grandes jogos, Jeff e o seu treinador-adjunto viam vídeos da equipa adversária para compreenderem melhor como jogava. Jeff procurava detetar falhas nos seus esquemas defensivos, ou más abordagens pela parte dos jogadores, depois imaginava-se a explorá-las, passando rapidamente por eles para marcar um golo ou fazendo uma assistência fácil para um companheiro de equipa. Depois, exatamente antes dos jogos, enquanto alguns dos seus companheiros gritavam e berravam para se prepararem, Jeff punha calmamente os seus auriculares, sentava-se sozinho, e começava a visualizar. Recordava aquelas passagens marcantes, e na sua mente cruzava a correr a defesa adversária, imaginando jogada após jogada. Os dois últimos anos de Jeff na academia, quando conseguiu dominar a visualização, foram os seus melhores como atleta. Foi duas vezes nomeado para a equipa *All-American* e bateu o recorde de assistências numa época em West Point.

## SOLIDÃO NO GELO – E NA ÁGUA

Há introvertidos em todos os desportos, mas gravitamos mais frequentemente à volta daqueles que nos permitem praticá-los sozinhos, como a natação, a corrida de corta-mato e o golfe. Quando criança, eu não era exceção. Com dez anos, comecei a praticar patinagem no gelo de competição. O desporto tinha um apelo especial para mim. Havia algo de mágico ao ver uma patinadora deslizar, rodopiar e saltar sobre o gelo. Eu queria fazer parte daquele mundo belo e embora tivesse começado a patinar demasiado tarde para poder alimentar sonhos olímpicos, o simples ato de procurar aperfeiçoar-me entusiasmava-me. As horas que passei sobre o gelo, a praticar solitariamente, eram puro êxtase. A minha mente flutuava sobre os acontecimentos do dia e as preocupações e tensões da minha vida começavam a parecer menos importantes. «De certo modo, o desporto torna-se uma espécie de meditação», refere a psicóloga Elizabeth Mika, «ocupa o nosso corpo e dá tempo à nossa mente para a introspeção.»

Jenny, uma discreta adolescente de Seattle, aprecia igualmente o apelo meditativo da natação. Experimentou diversos desportos enquanto crescia. No ensino básico, ela e uma amiga jogaram numa equipa de futebol constituída por raparigas alegres e ruidosas. A equipa explodia de alegria quando marcavam um golo, mas Jenny não conseguia imitar a euforia delas. «Havia uma rapariga que ficava sempre irritada comigo. Gritava-me algo como: "Porque não participas? Porque não te importas?"»

Em breve, Jenny desistiria do futebol em favor da natação. «Era realmente tranquilizador estar naquele espaço dentro da nossa própria cabeça», confessa. «Quando começava, durante as primeiras braçadas, a minha mente ficava louca, percorrendo assuntos à toa. Mas depois, quando chegava a um certo ponto, era como se tudo se apagasse. Se tivesse uma discussão com uma amiga e me sentisse realmente triste, ou ia nadar e esquecia tudo por um minuto e usava o exercício para arrumar as minhas ideias, ou simplesmente pensava enquanto nadava.»

O psicólogo desportivo Alan Goldberg, que tem trabalhado simultaneamente com atletas amadores e olímpicos, diz que é comum encontrarem-se introvertidos nas piscinas. «Nadar é o tipo de desporto que atrai as pessoas que conseguem tolerar o silêncio», diz-nos. «Por natureza, este desporto exige que se tenha a capacidade de tolerar longas horas em que se está sozinho e sem na realidade interagir com os outros.»

# INTROSPEÇÃO NO MONTE

Apesar da atração pelos desportos individuais, os atletas introvertidos podem distinguir-se em qualquer campo ou *court* de jogo. Dois dos melhores bases da NBA (National Basketball Association), Derrick Rose e Rajon Rondo, foram descritos como altamente introvertidos. De facto, um dos maiores talentos de Rose, de acordo com o seu treinador, é ser um excelente ouvinte.

De igual modo, as estrelas do futebol Lionel Messi e Cristiano Ronaldo são ambos conhecidos por trabalhar mais arduamente do que todos os outros, usando os princípios da prática deliberada, para que as suas jogadas sejam cada vez melhores.

E toda a equipa de basebol do Washington Nationals foi descrita (num artigo de imprensa de 2012) como tendencialmente inclinada para o lado introvertido do espectro da personalidade. Estes atletas eram geralmente sociáveis, mas também analíticos, focados e introspetivos. Como equipa, não apreciavam os jogadores ruidosos que precisam sempre de ter a última palavra. Até o diretor desportivo na época, Davey Johnson, preferia encontrar-se com os jogadores um a um do que ter as tradicionais sessões com toda a equipa no clube.

Nina, do Ohio, uma jogadora de *softball* do ensino secundário, sabe tudo sobre o trabalho solitário que é preciso para se ser excelente. Praticou alguns desportos quando era mais nova, incluindo futebol e basquetebol, mas o *softball* sempre foi inquestionavelmente o seu preferido. Nina é uma lança-dora e bem agressiva, diga-se. Uma vez, lançou a bola com tanta força que fraturou o dedo do pai quando estavam a treinar no pátio de sua casa.

Nina praticava o seu desporto favorito todos os dias. Corria nos montes próximos de sua casa e ficava até tarde depois dos treinos da equipa, trabalhando as suas falhas. Chegou mesmo a aperfeiçoar as suas capacidades enquanto estava em casa a ver televisão. Normalmente tinha uma bola de *softball* na mão e experimentava diferentes preensões e efeitos para poder ter o perfeito domínio de novos tipos de lançamentos. Ou fazia isso ou então pegava num haltere para fortalecer os pulsos. Enquanto júnior, Nina conseguiu um *no-hitter*, ou seja, toda uma série de lançamentos duran-te um jogo sem que um único jogador da equipa contrária tenha conseguido responder. No ano seguinte, como sénior, melhorou ainda mais em praticamente todas as vertentes do jogo.

## VENCER O BRONZE

É evidente que há um lado desvantajoso em ser-se um atleta introvertido, observa o psicólogo Goldberg. Os intro-vertidos têm muitas vezes a tendência para pensar excessi-vamente naquilo que estão a fazer, segundo diz Goldberg, e para serem mais exigentes com eles próprios quando come-tem um erro ou falham um objetivo.

Eu refiro-me muitas vezes a este aspeto. Quando praticava patinagem artística, esforçava-se muitíssimo nas competições. Podia passar horas no rinque durante as sessões de treinos, patinando perfeitamente. Mas no grande dia, eu era um desastre. Não conseguia dormir na noite anterior e quando era a minha vez de patinar, caía durante os movimentos que tinha efetuado sem problemas durante os treinos. Precisei de muitos anos até me sentir à vontade como patinadora e como concorrente. (Felizmente, não vais ter que esperar tanto tempo! Se eu tivesse que fazer tudo de novo, teria um melhor conhecimento de mim mesma, e dedicaria mais tempo de treino à própria exibição: durante as eliminatórias de uma grande competição faria tantos ensaios gerais quantos fossem precisos para me acostumar à sensação de patinar sob os projetores.)

Hans Rombaut, um cinturão negro de *taekwondo*, teve um problema semelhante. Apaixonou-se pelas artes marciais quando tinha dez anos. Nunca foi vítima de *bullying*, por isso o seu interesse nada tinha a ver com autodefesa. Não, ele queria aprender artes marciais porque era obcecado por Bruce Lee e pelas Tartarugas Ninja. Embora o futebol e o ciclismo fossem os desportos mais populares na sua Bélgica natal, ele desesperava por experimentar as artes marciais e, com alguma relutância, os seus pais acabaram por autorizá-lo. Quando fez catorze anos, já praticava várias horas por dia.

Hans apreciava os longos períodos de trabalho árduo e escolheu a forma mais solitária de *taekwondo*. Acabou por se especializar na componente coreográfica, o que significava que não tinha que combater com ninguém nas suas exibições.

Em vez disso, tinha de efetuar uma série de movimentos em paralelo com outro concorrente. Um painel de juízes pontuava as duas demonstrações de acordo com a melhor técnica exibida pelos dois concorrentes, os golpes mais perfeitos, etc. Nos torneios, o atleta com maior pontuação passava para a ronda seguinte.

A disciplina era perfeita para o introvertido Rombaut, uma vez que exigia treino a solo e exibição individual. Ele teve uma melhoria evidente e em poucos anos conquistou um lugar na seleção nacional da Bélgica. Porém, o seu sucesso rapidamente diminuiu. «Desde que entrei na seleção nacional acabava sempre com a medalha de bronze», conta-nos. «As pessoas já me chamavam o senhor Bronze!» Não tinha dificuldade em ganhar as primeiras rondas da competição, mas a pressão instalava-se quando se aproximava das finais. A simples ideia de se exibir diante de centenas de espectadores era mais do que podia suportar. Começava a pensar excessivamente sobre a sua exibição, congelava e acabava nas meias-finais.

Após anos de resultados dececionantes, Hans começou a trabalhar com uma treinadora que se concentrou na sua barreira mental. Convenceu Hans a não prestar atenção ao público e também aos juízes. «Eu dizia para comigo: "Não há ninguém aqui. Só eu e a minha treinadora. E isto é só uma demonstração para ela ver como estou"», recorda. «Foi quando mentalmente consegui reduzir a pressão, que comecei a obter os melhores resultados.» No espaço de um ano, Hans seria o vencedor do Campeonato da Europa.

Quando os juízes anunciaram a sua vitória, toda a equipa correu para o tapete e aplaudiu. Naquele momento, a luz dos projetores não perturbou minimamente Hans. «Havia imenso público. Todos estavam a ver; mas eu não me importava. Eu estava simplesmente eufórico.»

Se conseguires ultrapassar o stresse da competição e evitar a armadilha de pensar em excesso, como Hans, então, ser introvertido pode ser uma enorme vantagem para ti como atleta. Possuis três superpoderes fundamentais: tolerância à prática individual, desejo de perfeição e focalização intensa.

Mas os desportos não têm só que ver com competição. Vê o caso de Julian, cujos diversos interesses vão do piano à fotografia e – mais recentemente – às artes marciais. Neste momento ele treina o corpo praticando *parkour*, que é a arte marcial de fugir. «É aprender a usar o corpo da melhor forma no ambiente em que nos encontramos. Por isso, se houver muros, trata-se de conseguir passar-lhes por cima, aprendendo a cair, saltar sobre obstáculos, enrolar o corpo e cair. Adoro praticar porque é algo que posso fazer sozinho. Tem tudo a ver com testarmos a nossa própria força, não necessariamente competir com outros. Leio muito sobre o assunto e vejo vídeos e depois procuro imitar.»

Se gostas de uma atividade pela mera alegria do movimento – ou por quereres perseguir a excelência – não caias na armadilha de pensar que a única maneira de expressares a tua dedicação é através da competição. É uma maneira de o fazeres. Mas não é a única.

# O PLANO DE JOGO DO ATLETA INTROVERTIDO

A adolescência é um período em que o teu corpo está em transformação. Dedica-lhe algum amor. Experimenta o que funciona para ti. Podes descobrir que aumentar a tua batida cardíaca e ficar um pouco transpirado te relaxa e te liberta mentalmente. Pensa no exercício desta forma. O importante não é o peso do corpo ou algum injusto padrão de beleza – é a lucidez mental e aquela sensação agradável de libertação de endorfinas. Podes não ser um dos atletas mais expansivos no campo, mas podes ser aquele que conquista os mais ruidosos aplausos.

PRATICA SOZINHO: Preza a solidão como um tempo para aperfeiçoar as tuas capacidades e recuperar a energia mental.

ESTUDA A TUA MODALIDADE: Canaliza a tua capacidade de concentração e aplica-a ao teu desporto preferido. Constrói uma compreensão mais profunda da tua modalidade ou prova desportiva. Usa os princípios da prática deliberada (que provavelmente te são naturais) para melhorares e te distinguires.

VISUALIZA O SUCESSO: Põe o teu cérebro ativo e imaginativo a trabalhar visualizando a vitória e apoiando a tua confiança.

**ENCOLHE O TEU MUNDO:** Não deixes que o público sugue a tua energia e a tua força, como sucedia com Hans. *Esquece* a multidão. Encolhe o teu mundo à dimensão do tapete, do campo ou da piscina. Bloqueia as distrações exteriores e concentra-te inteiramente no teu desempenho.

**FAZ EXERCÍCIO A SOLO:** Ioga, corrida, marcha, escalada, abdominais. Todos estes são exercícios que podes fazer gratuitamente, sozinho, no teu quarto ou ao ar livre.

## Capítulo Onze
# TRANQUILAMENTE AVENTUREIRA

Porque cresceram na Austrália, Jessica Watson e os seus irmãos não tiveram ensino em casa mas sim num barco. Quando Jessica frequentava o quinto ano, os pais compraram um
barco de dezasseis metros, embarcaram os filhos e partiram
para aquilo que viria a ser uma aventura de cinco anos à volta da costa da Austrália. Jessica era uma jovem sossegada,
mas sob a sua aparência envergonhada, florescia um espírito aventureiro. Quando regressou a casa com onze anos de
idade, ouviu falar do marinheiro Jesse Martin, que deu uma
volta ao mundo de barco, sozinho, em 1999, quando tinha
apenas dezoito anos. A história de Martin impressionou profundamente Jessica. Mesmo com a sua tenra idade, soube
que aquele tipo de viagem era para ela. Ela também queria
dar a volta ao mundo e queria fazê-lo sozinha.

De início, Jessica não falou a ninguém sobre o seu sonho.
Quem iria levá-la a sério? Mas secretamente começou a fazer
pesquisa sobre navegação solitária, aprendendo tudo o que

podia acerca da difícil arte de pilotar um veleiro sem ajuda. Imaginou como seria ser apanhada no meio de uma perigosa tempestade em mar aberto. Como se sentiria semelhante perigo? Estaria preparada para o desafio? Conseguiria estar sozinha durante uma volta completa à Terra? Transformou-se numa especialista em meteorologia, navegação e equipagem. Quando mais pesquisava e sonhava, mais confiante se sentia quanto ao ser capaz de lidar com tudo o que a Mãe Natureza lhe pudesse lançar no caminho.

Jessica estava determinada a navegar à volta do mundo, e acredites ou não... conseguiu convencer os pais a deixarem-na empreender a aventura. Esta viagem exigiu um planeamento rigoroso. Angariou patrocinadores e recrutou uma equipa de especialistas para traçarem a carta náutica e seguirem a sua viagem. Dotou o seu barco, chamado *Ella's Pink Lady*, com o equipamento adequado para a manter a salvo e preparou-se para o tempo tormentoso e imprevisível. Então, no dia 18 de outubro de 2009, fez-se ao mar. Tinha dezasseis anos e planeava passar sozinha os nove meses seguintes. Graças a um notável equipamento de comunicações, teria *wi-fi* para falar com os amigos, familiares e com a sua equipa de apoio; podia inclusivamente fazer uma ou outra visita ao Facebook.

Porém, ia estar completamente só, longe, em mar aberto.

Jessica partiu para a sua viagem. Quando deixou de ver a costa, descobriu que a solidão não a incomodava. Claro que falava para o seu cata-vento que refletia a direção dos ventos (até o batizou como *Parker*). E teve conversas com uma ave marinha que decidiu permanecer no barco durante algum tempo, falava ocasionalmente com os animais de peluche que trouxera consigo, e deu ao próprio barco palavras de encorajamento, falando com ele como se fosse uma pessoa a precisar de coragem face à tempestade que se aproximava. Houve alguns momentos emocionais de inação, mas surpreendentemente, embora usasse o telefone com frequência para falar com os amigos e a família, houve momentos em que rejeitou a hipótese de falar e preferiu o silêncio. E descobriu que o seu irmão mais velho conseguia irritá-la, mesmo a milhares de milhas de distância. Numa determinada altura, enquanto estava sozinha no meio do oceano Pacífico, escreveu no seu blogue: «Obrigada ao pai e ao Bruce por nestes últimos dias terem sido tão pacientes comigo ao telefone e por compreenderem que por vezes uma rapariga não tem disposição para conversar!»

A viagem proporcionou-lhe enormes surpresas: teve experiências que soam como se fossem sonhos. Grupos de golfinhos a nadar à frente da proa, uma lula miniatura caiu no convés durante a noite. Viu um arco-íris noturno, conhecido como arco-íris lunar, quando a luz do luar brilhava através da tempestade.

Também houve um encontro com um petroleiro e danos no barco. Houve ondas enormes que varriam o barco e o faziam tombar, projetando-a pela cabina como se fosse uma boneca ensopada. Uma noite, por distração, cozinhou a sua massa para o jantar em gasóleo. Tantas pessoas em terra tinham dito que ela não devia fazer esta viagem, que ela não seria capaz de a enfrentar com sucesso. Mesmo nos momentos de vulnerabilidade e medo, Jessica sabia no fundo que de facto conseguiria enfrentar e vencer a viagem.

E assim, resistiu, com muita energia e dedicação. Depois de velejar 24 285 milhas ao longo de cento e vinte dias, rumou a Sydney, Austrália, para uma brigada de acolhimento de boas-vindas que incluía helicópteros, barcos, televisão, tripulações, multidão e, evidentemente, a sua família. Jessica passava a ser o mais jovem ser humano a conseguir navegar à volta do mundo.

## A MAIOR DOSE DE SUMO DE LIMÃO

Há uma tendência para se pensar que os aventureiros são duros e desordeiros, destemidos e audaciosos. No entanto, frequentemente, os maiores desafios em grandes viagens exigem um conjunto de aptidões inesperadas. Para realizar a sua incrível aventura, Jessica precisava de ter a capacidade de se concentrar intensamente, uma grande tolerância à solidão e muita força emocional. Como introvertida, Jessica tinha o perfil ideal para cumprir a tarefa.

Contudo, os extrovertidos parecem ser geralmente mais dados à atração para situações de risco. Não que os introvertidos não corram riscos, porque correm, mas porque tendem a ser mais cautelosos e a medir os riscos que vão correr.

Alguns cientistas acreditam que a razão pela qual as pessoas gostam de correr riscos relaciona-se com um fenómeno chamado «sensibilidade à recompensa». Tipicamente, encaramos os desafios como meio de ganhar algum género de recompensa, seja a satisfação de conseguir escalar uma montanha ou o prémio que se recebe com um bilhete da lotaria. Há provas de que os extrovertidos são mais suscetíveis ao fluxo de orgulho, excitação e sensações totalmente positivas que decorre de se alcançar um objetivo, vencer uma competição ou ultrapassar obstáculos impossíveis. Claro que todos gostamos dessa emoção, mas os cientistas descobriram que os extrovertidos experimentam um entusiasmo ligeiramente mais intenso. O cérebro humano incorpora uma espécie de sistema de recompensa, uma rede de vias que enviam sinais multidirecionais, através de uma substância química denominada «dopamina», para reforçar a nossa excitação quando algo de bom acontece. Os cientistas dizem que a ação da dopamina é aparentemente mais ativa nos cérebros dos extrovertidos.

Num determinado estudo, investigadores observaram introvertidos e extrovertidos que ganhavam prémios de jogo, e os vencedores extrovertidos tinham mais atividade nas áreas de recompensa dos seus cérebros do que os introvertidos nas mesmas condições. Tenho a certeza que os introvertidos também adoram ganhar, mas a evidência sugere que as redes de recompensa dos seus cérebros foram um pouco menos ativadas, por isso e para eles a experiência foi sentida de forma mais suave.

Outros estudos determinaram que os extrovertidos conduzem de forma mais brusca e veem-se envolvidos em mais acidentes de viação do que os introvertidos!

Quando se trata de aventuras perigosas como velejar à volta do mundo ou escalar uma montanha, a brandura dos introvertidos pode ser extremamente útil. Consideremos a pesquisa de Gunnar Breivik, um sociólogo norueguês que tem estudado as personalidades de atletas de desportos radicais desde há décadas. Num determinado momento, Breivik estudou alpinistas quando estes escalavam escarpas rochosas, picos gelados e enormes paredes de escalada em recintos cobertos. Em diversos estudos, descobriu que os alpinistas eram muitas vezes mais calmos, mais introspetivos, que visualizavam tranquilamente aquilo que se propunham conseguir. Os que eram mais atraídos pela escalada na natureza do que pela do ginásio eram especialmente introvertidos.

Num outro projeto, Breivik examinou as personalidades dos membros de uma expedição norueguesa de 1985 ao monte Evereste. O grupo teve grande sucesso comparativamente com outros alpinistas no Evereste. Seis dos sete aventureiros noruegueses concluíram a expedição e alcançaram o pico. Breivik assumiu que eles tendiam mais para o lado extrovertido do espectro, dadas as sensações extremas que decorriam de lutar contra a intensidade de frio, ventos e neve. Recordas-te do estudo com o sumo de limão que apurou que os introvertidos reagem mais intensamente ao estímulo e são mais facilmente dominados por ele? Bem, o pico do monte Evereste representava um estímulo da maior intensidade – a maior dose de sumo de limão no mundo. Mais, a expedição exigia uma cooperação incrível, e ele pensou que os extrovertidos seriam melhores a trabalhar em equipa.

No entanto, veio a revelar-se que os aventureiros eram largamente introvertidos. Eram indivíduos independentes, obstinados, imaginativos – diz Breivik. Mas eram também capazes de trabalhar juntos para se ajudarem mutuamente a alcançar o pico da montanha mais alta do mundo.

Jessica Watson e a sua impressionante aventura de navegação solitária ajudaram a provar o argumento de Breivik de que os aventureiros são muitas vezes introvertidos altamente focalizados. Jessica foi muitíssimo competente no mar, em parte porque a sua natureza tranquila lhe permitiu permanecer calma e focada face aos perigos que enfrentava. Mesmo numa viagem tão arriscada, ela conseguiu manter-se em segurança por se concentrar nos rumos exatos, manobrar através das agitadas ondas oceânicas e cuidar de si própria.

## O CIENTISTA COM NARIZ PARA A OBSERVAÇÃO

Há outros aventureiros introvertidos que não são tão propensos a correr riscos, mas que desejam testar as suas capacidades e enfrentam grandes perigos ao serviço de uma paixão ou de um projeto. O jovem Charles Darwin, um dos mais influentes introvertidos da história, formulou a teoria da evolução, que especulava que todas as espécies se desenvolviam com o tempo para se adaptarem aos seus meios ambientes. Mudou completamente a compreensão da natureza humana e da biologia. Quando era garoto, Darwin dava longos e solitários passeios a pé e pescava sozinho durante horas. Ocasionalmente, a sua natureza introspetiva causava-lhe problemas. Uma vez, enquanto andava pelo campo na sua Inglaterra natal, envolveu-se de tal forma com os seus pensamentos que se aproximou excessivamente da beira de um caminho e deu uma queda de dois metros e meio numa ribanceira!

Quando era um jovem estudante de Ciências, Darwin ansiava ver o mundo para além da Grã-Bretanha e no verão de 1831 viu chegar a sua oportunidade. O Governo britânico designara um navio, o *Beagle*, para explorar as águas da costa sul-americana. O comandante, Robert FitzRoy, queria um geólogo a bordo para estudar a paisagem natural. Um dos antigos professores de Darwin sugeriu-lhe o seu nome e, após alguma hesitação inicial, Charles aceitou. Contudo, o comandante tinha alguma relutância em levar a bordo alguém tão jovem. Tinha algum ceticismo face à natureza introvertida de Darwin e acreditava que se podia julgar o carácter de um homem pela sua aparência – especialmente pela forma dos seus traços faciais. O comandante FitzRoy pensava que alguém com um nariz com as formas do de Darwin não teria a energia e a determinação necessárias para completar uma tal viagem!

No entanto, acabou por concordar e o *Beagle* fez-se ao mar com Darwin a bordo em dezembro de 1831. A viagem prevista para dois anos estendeu-se a cinco e Darwin passou muito deste tempo a registar cuidadosamente notas sobre tudo o que via no mar e em terra. Todos os dias, no seu exíguo camarote, escrevia no seu diário sobre a paisagem – árvores, rios e flores –, a fauna e os povos locais. Ocasionalmente enviava páginas do seu diário para o seu professor e amigo, conjuntamente com as suas cartas. Charles na altura não o sabia, mas essas páginas circularam por diversos cientistas. Quando regressou a Inglaterra, em 1836, era já uma espécie de celebridade académica. Os incríveis animais que observara na sua viagem também o tinham lançado no caminho para a formulação da teoria que iria transformar a nossa compreensão do mundo – a teoria da evolução das espécies.

Embora a personalidade de Darwin e a sua aparência tivessem levado o comandante a questionar se o jovem cientista estaria apto para a viagem, ele veio a revelar-se o seu mais importante membro. Se não fosse Darwin, aquela viagem ter-se-ia provavelmente perdido para a história. Por isso que importava se ele não era o cientista expansivo, apto para navegar, que FitzRoy teria preferido? Graças aos seus apurados talentos como observador e aos seus cuidadosos esforços para registar tudo o que via para o explicar mais tarde em livros e conferências, Darwin transformou a viagem do *Beagle* numa das mais importantes expedições na história da ciência. Sem ele a bordo, teria sido apenas mais uma viagem à vela.

## AVENTURA SUBAQUÁTICA

Esta próxima história de aventuras entra em definitivo na categoria «não tentes fazer isto em casa» – mas é inteiramente verdadeira. É sobre um adolescente chamado Justin que, desde muito novo, se dedicava a consertar coisas. Justin adorava construir com cubos e fazer esculturas a partir de madeira recuperada e, quando tinha dez anos, já havia começado a construir os seus próprios barcos e carros de controlo remoto. Os pais repararam desde muito cedo na sua paixão. Levavam-no ao sucateiro local para pegar em velhos computadores, motores e tudo o mais que Justin achasse interessante. O sucateiro até começou a pôr coisas de lado para o jovem que depois transformava aqueles desperdícios em todo o tipo de veículos e de robôs.

A obsessão de Justin evoluiu. Estava profundamente convencido que queria construir um submarino. Quando tinha catorze anos, tentou construir um, mas as paredes não eram estanques. Tentou de novo um ano mais tarde, mas a segunda tentativa também falhou. Justin acabou por concluir que estava a abordar o assunto erradamente e pediu ao pai para lhe comprar um tubo de drenagem de plástico com um metro e oitenta de comprimento por sessenta centímetros de largura. Nesta altura, o pai já estava perfeitamente habituado às estranhas experiências de Justin, por isso, depois de muitas perguntas relacionadas com a segurança, concordou.

Quando chegou o tubo de drenagem, Justin arrastou-o para a cave, onde guardava uma vasta coleção de velhos componentes elétricos, motores, fios, cabos, etc., e começou a pensar em como principiar. Durante os seis meses seguintes, trabalhando sozinho, Justin transformou aquele enorme troço de plástico num submarino funcional para um só tripulante. Usou um motor de um velho barco de pesca, baterias de carros de brinquedo, lemes de um *jet-ski* abandonado, e um sistema de pressurização de ar que aproveitara de uma máquina de refrigerantes avariada. Os amigos e familiares iam verificar ocasionalmente o seu progresso e oferecer ajuda, mas o submarino era um projeto solitário. Quando a escola de Justin fechou devido a uma forte tempestade de neve, não pediu aos amigos para aparecerem. Levou o dia inteiro a passar fios do painel de controlo para os diferentes componentes do submarino. Para ele isto não era um trabalho entediante. Era exatamente assim que queria passar o tempo.

Pela primavera, o submarino estava pronto e, com a permissão dos pais, Justin levou-o até ao lago que ficava nas traseiras da casa de fins de semana da família e imergiu sob a superfície, esteve sozinho debaixo de água durante trinta minutos, a trincar bolachas *Oreo*, a observar peixes e, de vez em quando, a contactar com os pais via *walkie-talkie* para assegurar que continuava seco.

Perto do fim do mergulho, contactou o pai para dizer que tinha um problema. O pai entrou em pânico até Justin referir qual era o problema: «Acabaram-se as bolachas!»

Há numerosas razões para este adolescente ter conseguido construir o seu próprio submarino. Era extremamente inteligente, mas era também tremendamente focalizado e capaz

de longos períodos ininterruptos de trabalho árduo. Justin passou todo o dia nervoso em casa, com a escola fechada, sozinho com os seus fios! Nunca sentiu a sua introversão como um defeito de carácter. Era um dos seus dons e, quando trabalhava num submarino ou num carro de controlo remoto, experimentava alegria e aventura ao mesmo tempo.

## NÃO DEIXES QUE O MEDO SEJA LADRÃO

Nem todas as aventuras têm impacto histórico ou tecnológico, e nem têm que o ter. Por exemplo, Rita, uma jovem do Indiana, outrora tímida, passou um ano fora, no Equador, durante o seu décimo segundo ano, e lá fez amizade com os jovens locais, aprendeu a dançar salsa, e adaptou-se a uma cultura mais calorosa, cordial e barulhenta do que estava habituada. Depois de regressar a casa, foi convidada a falar acerca do programa de estudo no estrangeiro para encorajar outros jovens a viajarem como ela. Rita estava nervosa por ir falar em frente de todos, mas acreditava na sua mensagem. Embora os adultos que geriam o programa de intercâmbio tivessem imaginado que os jovens extrovertidos adaptar-se-iam melhor no estrangeiro, Rita falou em como ser introvertida poderia ser uma enorme vantagem. Como se sentia tão à vontade a escutar – a escutar *realmente* – o que as pessoas tinham para dizer, fez grandes amizades, tanto com os adultos da família que a acolheu como com os jovens da sua escola. Sim, por vezes, punha a sua máscara de extrovertida, mas

Rita não sentia que tivesse mudado. «Não me tornei menos introvertida», diz, «fiquei apenas menos tímida.»

Na escola que frequentava também lhe pediram para falar sobre a sua experiência. Desta vez, tinha de falar frente a centenas de pessoas. Falar em público era um problema para Rita, mas pensou que se conseguira aventurar-se pelo mundo para ir a um lugar cuja língua não dominava e onde não conhecia ninguém, e regressar a falar espanhol com novas e profundas amizades, bem, então também seria capaz de fazer um rápido discurso em público. Também se lembrou de algo que os seus vizinhos lhe tinham dito. Antes de Rita partir para o Equador, a mãe entregou-lhe um pequeno livro cheio de notas manuscritas de aconselhamento dos seus amigos e vizinhos. «Um dos meus vizinhos escreveu: "Não deixes que o medo seja ladrão. Ele irá roubar-te muitas coisas preciosas e privar-te de muitos momentos incríveis."»

Rita deu atenção àquele conselho quando se aventurou no estrangeiro, e agora voltava a lembrá-lo. Trabalhou com a professora de Inglês para preparar o discurso, e depois praticou com a professora de Teatro da escola, tomando notas sobre quando devia falar mais alto e quais as palavras a que devia dar mas ênfase. Mas, na manhã do discurso, estava muito nervosa. Havia mais de mil pessoas a olhar para ela. Mas olhou de relance para as suas notas e começou a falar. «Assim que consegui proferir a primeira frase, tudo pareceu ficar um pouco mais tranquilo e senti-me calma.» Sim, havia muito público ali sentado, mas todas as pessoas estavam lá por uma razão: estavam interessadas em ouvir o que Rita tinha para dizer. Esta era uma oportunidade para partilhar as suas ideias e experiências e talvez até inspirar outros jovens a viajarem e explorarem novas culturas. Não ia deixar que o medo lhe roubasse aquela oportunidade.

A confiança que Rita conquistou com a sua aventura refletia-se para além de falar em público. Descobriu que era mais fácil fazer novos amigos agora, que conseguira saltar barreiras sociais mais altas. De facto, foi tão influenciada pela aventura que decidiu adiar a inscrição na faculdade para poder usufruir de mais um ano sabático para se juntar de novo ao programa de intercâmbio. Desta vez ia para a Rússia. Mais uma vez, sabia muito pouco sobre o país. Não falava russo e não conhecia lá ninguém. A Rússia ficava ainda mais longe da sua cidade natal do que o Equador.

Por outras palavras, era a viagem ideal.

## O GUIA DOS INTROVERTIDOS PARA A AVENTURA

Para onde e quando escolheres ir, ou como queres lá chegar, é inteiramente contigo. Mas se embarcares na tua aventura, considera algumas sugestões a partir das viagens de Jessica, Rita e dos outros:

PERSEGUE A TUA PAIXÃO: Os introvertidos aventureiros deste capítulo estavam todos tão interessados em alguma coisa que não conseguiram resistir à atração de a explorar. Presta atenção ao que te desperta curiosidade e deixa que te guie na direção que te pode proporcionar uma experiência que mude a tua vida.

**ESCUTA E OBSERVA:** Quer estejas a viajar ou a desbravar caminhos, as tuas forças como introvertido vão assentar-te bem. Rita acostumou-se à cultura equatoriana escutando atentamente a sua mãe de acolhimento e observando os seus novos colegas de turma. Os poderes de observação de Darwin transformaram aquela que seria uma viagem despercebida numa das maiores viagens da história. Logo, os introvertidos foram feitos para a aventura.

**RECARREGA:** Não importa quão aventureiro és, vais continuar a precisar daquele tempo só para ti, para recarregares as tuas baterias mentais. Vê o caso de Jenny, a nadadora, que também viajou para o Japão por algumas semanas para estudar a cultura do país. A família que a acolheu não entendia que ela precisasse de estar sozinha, mas ela insistiu, e eles acabaram por lhe conceder algum tempo após as aulas para ela estar sozinha, tranquila. Isso fez toda a diferença.

**A VIDA NAS PALAVRAS DA COMPANHEIRA INTROVERTIDA ELEANOR ROOSEVELT:** «Faz todos os dias uma coisa que te amedronta.» Pode ser pequena, como erguer a mão na aula, ou sentares-te perto de alguém que não conheces numa reunião. Atreveres-te a ir além da tua zona de conforto pode ser viciante. Se ganhares o hábito, poderás em breve dar por ti a enfrentar regularmente desafios compensadores.

**CONFIA EM TI:** Grandes viagens, expedições recordistas, e simples viagens ao estrangeiro podem arrasar os nervos de qualquer pessoa, extrovertida ou introvertida. Mas, como aprendeu Rita, não podemos deixar que o medo seja ladrão.

## Capítulo Doze
# MUDAR O MUNDO TRANQUILAMENTE

Montgomery, Alabama. Princípio da noite do dia 1 de dezembro de 1955. Um autocarro de transportes públicos encosta a uma paragem e uma mulher bem vestida, dos seus quarenta anos, entra. Caminha direita e decididamente, apesar de ter passado o dia dobrada sobre uma tábua de engomar na cave sombria de uma alfaiataria em Montgomery Fair. Tem os pés inchados e doem-lhe as costas. Senta-se na primeira fila da secção «Para Negros» e observa calmamente os passageiros a entrarem no autocarro, até que o condutor lhe ordena para dar lugar a um passageiro branco.

A mulher pronuncia uma única palavra que vai desencadear uma das mais importantes manifestações pelos direitos civis do século xx, uma palavra que ajuda a mudar a América.

A palavra é *não*.

O condutor ameaça mandar prendê-la.

«Pode mandar prender-me», responde Rosa Parks.

Um agente da polícia chega e pergunta a Parks porque é que ela não sai do lugar.

«Porque é que vocês todos estão sempre a maltratar-nos?», limita-se a responder.

«Não sei», responde o guarda, «mas a lei é a lei, e você vai presa.»

Na tarde do seu julgamento por conduta desordeira, a Montgomery Improvement Association organiza um comício a favor de Parks na igreja batista de Holt Street, na zona mais pobre da cidade. Cinco mil pessoas reúnem-se em apoio do ato solitário e corajoso de Parks. Comprimem-se dentro da igreja até não caber mais ninguém. Os que não conseguem entrar esperam pacientemente no exterior, escutando através dos altifalantes. O reverendo Martin Luther King Jr dirige-se à assembleia. «Chega um tempo em que as pessoas se cansam de ser atropeladas pelos pés de ferro da opressão», diz-lhes.

Louva a coragem de Rosa Parks e abraça-a. Ela mantém-se de pé em silêncio e a sua mera presença é suficiente para galvanizar a multidão. A associação lança um boicote a todos os autocarros da cidade que dura 381 dias. As pessoas percorrem quilómetros a pé para irem trabalhar, organizam-se em boleias coletivas de automóvel com desconhecidos. Mudam o curso da história da América.

Sempre imaginei Rosa Parks com uma mulher elegante, de temperamento audacioso, alguém que podia facilmente levantar-se e fazer frente aos passageiros carrancudos de um autocarro. Mas quando ela faleceu em 2005 com a idade de

noventa e dois anos, a onda de elogios fúnebres recordava-
-a como alguém educada, doce e de baixa estatura. Diziam
que ela era «tímida e envergonhada» mas que tinha «a coragem de um leão». Estavam repletos de frases como «humil-
dade radical» e «determinação tranquila». «O que significa
ser tranquila e ter determinação?», pareciam perguntar estas
descrições. «Como se pode ser tímida e corajosa?»

Parks, ela própria, parecia ter consciência deste parado-
xo, ao intitular a sua autobiografia *Quiet Strength* – um título
que nos desafia a questionarmos as nossas pressuposições.
Porque *não deveria* a tranquilidade ser forte? E que mais pode
fazer a tranquilidade para que não lhe reconheçamos os seus
devidos créditos?

Como verás neste capítulo, ser tranquilo pode mudar o
mundo.

## A TEORIA DA PERSONALIDADE ELÁSTICA

Há alguns anos, tive a oportunidade de conhecer um dos
principais pensadores na ciência da personalidade, o Dr. Carl
Schwartz da Harvard Medical School. Explicou-me ele que
as nossas personalidades estão, até certo ponto, como que
ligadas por fios ao interior dos nossos cérebros e dos nossos sistemas nervosos desde o nascimento. Tal como falámos
antes, nascemos com temperamentos – a tendência de agir e
sentir de maneira específica – e não podemos trocar os nossos temperamentos à nossa vontade.

No entanto, podemos procurar ser melhores. Os sensíveis e cautelosos podem aprender a agir com audácia; os impulsivos e expansivos podem aprender a adiar a satisfação e ser diplomáticos.

Gosto de pensar neste assunto como a teoria da personalidade elástica. Nós, os introvertidos, somos capazes de nos esticar como elásticos quando queremos, agindo expansivamente e permanecendo em ambientes de extrema estimulação. Mas se nos puxarem em excesso, podemos estalar. O truque é conhecermos os nossos limites.

Um das minhas histórias preferidas sobre elásticos envolve uma antiga colega minha da Universidade de Princeton, uma mulher chamada Wendy Kopp, que apareceu com uma nova e corajosa ideia para melhorar o ensino na América. As escolas nas zonas mais pobres lutam por cumprir os orçamentos. As turmas são muito grandes e há falta de professores. Quando Kopp andava na faculdade suspeitava que alguns dos seus inteligentes e jovens colegas poderiam estar interessados em ensinar naquelas cidades negligenciadas se lhes fosse dada essa oportunidade. O que os licenciados pelas universidades precisavam era de uma organização que lhes criasse essas oportunidades. Assim que Kopp começou a pensar mais nesta ideia, apercebeu-se que podia ser uma forma de melhorar a educação de numerosos jovens.

Porém, também sabia que precisava de dinheiro para pôr as coisas a funcionar. E não se tratava de trocos. Após alguma pesquisa, Wendy imaginou que a sua ideia, uma organização a que chamaria Teach for America, iria inicialmente exigir dois milhões e meio de dólares para funcionar adequadamente. Precisaria dos fundos para recrutar aqueles jovens, prepará-los para serem professores e pagar-lhes pelos seus esforços. Mas, naquele tempo, Wendy também era apenas uma estudante. Não tinha aquele dinheiro, nem conhecia sequer ninguém que o tivesse, o que significava que se quisesse que a sua ideia viesse a ser realidade, teria que procurar que outras pessoas fizessem donativos.

Para algumas pessoas, isto teria sido fácil. Mas Wendy não se achava a típica comercial extrovertida, capaz de encantar as pessoas para apoiarem as suas ideias. Era uma orgulhosa introvertida que prezava a sua solidão. Na faculdade, recusou associar-se a populares clubes sociais e gostava de fazer longas corridas matinais sozinha para clarificar as ideias. Ainda me lembro de a ver atravessar o *campus*, muito antes de criar a sua organização. Tinha uma aura de propósito e determinação que nunca esquecerei. E assim Kopp fez aquilo que muitos introvertidos voluntariosos e diligentes fariam na sua situação. Dirigiu-se à biblioteca e mergulhou na pesquisa. Estudou tanto quanto pôde sobre o problema e o que seria necessário para pôr de pé a sua organização.

Depois começou a escrever aos dirigentes das trinta maiores empresas dos EUA, incluindo a Coca-Cola e a Delta Airlines. Muitos deles recusaram. Alguns nem sequer responderam. Mas ela continuou a pressionar. Terminou a licenciatura e, durante o resto do verão, trabalhou sozinha num pequeno escritório, escrevendo centenas de cartas. Em determinado

momento conseguiu convencer um eloquente multimilionário do Texas chamado Ross Perot a encontrar-se pessoalmente com ela. Perot disparou-lhe numerosas perguntas, mas ela
respondeu calmamente a cada uma, acabando por convencê-
-lo de que o seu plano era digno de mérito. Ele foi um dos
seus primeiros doadores.

Quando conseguiu reunir o restante dinheiro e lançar a
sua organização, Kopp lutou com as suas responsabilidades como líder do grupo. Quando os primeiros professores
se reuniram para uma sessão preparatória na Universidade
do Sul da Califórnia, ela procurou evitá-los. Quando eles co-
miam juntos no refeitório, ela ficava no seu escritório. Isto
era o equivalente a convidares dezenas de pessoas para uma
festa em tua casa e depois passares o tempo todo no teu quarto! Os ambiciosos professores aterrorizavam Wendy. Mais
tarde, referiu-se àquelas oito semanas de preparação como
as mais longas da sua vida.

À medida que os anos passaram e a sua organização cresceu, Kopp reconheceu que não podia continuar daquela forma – tinha de fazer melhor. Mesmo que não gostasse de se
encontrar com pessoas, a *causa* precisava dela. Desceu do seu
escritório e em vez de evitar discussões começou ela própria
a provocá-las. Na maior parte dos dias, acabaria por estar em
reuniões desde as nove horas da manhã até às oito da noite –
é muito tempo para um introvertido *ou* extrovertido! Depois
ia para casa, dormia algumas horas, e acordava mal rompia
a madrugada. Deste modo, teria algumas horas para trabalhar como mais gostava: sozinha. O trabalho era esgotante,

mas os seus esforços foram compensados. Teach for America cresceu ao ponto de se tornar a instituição de ensino mais importante no país.

## LIVROS NO ESTRANGEIRO

Robin ouvia constantemente os professores a dizerem-lhe sempre a mesma coisa: «Fala mais na aula! Faz um esforço para conviveres com os outros estudantes!» A verdade é que Robin preferia estar sozinha ou com uma das suas boas amigas. Odiava especialmente as multidões. Quando tinha de fazer uma apresentação na escola, nunca tirava os olhos do chão, porque ficava aterrorizada por poder começar a tremer se os seus olhos se cruzassem com os de mais alguém. A conversa banal aborrecia-a. Quando saía com as suas amigas, tinham conversas sérias sobre o que era importante para elas: as suas famílias, convicções e vidas sociais.

Um dos passatempos preferidos de Robin era a leitura. Também adorava escrever e tocar piano, mas quando precisava de recarregar baterias, normalmente usava o seu quarto como refúgio e mergulhava num romance. Gostava de ler de tudo um pouco, de Charles Dickens a John Green. A sua melhor amiga também era amante de livros e o amor pela literatura unia-as. Começaram a imaginar formas de poderem partilhar a sua paixão com outros. «Eu pensava: "Porque não fazer uma recolha de livros para pessoas que não têm oportunidade de ler?"», recorda Robin. A amiga concordou que era uma boa ideia e prepararam-se para decidir o melhor local para doarem os livros. Queriam encontrar uma instituição em que realmente acreditassem.

De início, consideraram algumas organizações locais, mas Robin acabou por tropeçar no African Library Project, uma organização não-lucrativa que ajuda jovens a organizarem recolhas de livros para escolas com carência deles. Para participarem, tinham de reunir no mínimo mil livros e mais de quinhentos dólares para financiar os custos de transporte. O projeto selecionou um destino para elas: uma biblioteca no Malawi, um pequeno país pobre no Corno de África.

Uma das primeiras pessoas a quem Robin apelou por ajuda foi a um primo mais velho. Ele era diretor de uma escola próxima, por isso ela pensou que ele lhe podia dar alguns bons conselhos. No fim, não só ele tinha algumas boas sugestões a dar como até concordou em doar oitocentos livros da biblioteca da sua escola. Também incentivou Robin a falar com o seu próprio diretor para a ajudar no projeto.

Pedir ajuda ao primo foi relativamente fácil; ele era da família. Mas falar com o diretor da sua própria escola era um desafio completamente diferente. Na escola de Robin, os estudantes tinham de usar uniformes quase todos os dias. No passado, a escola angariara dinheiro para instituições de caridade através dos «dias de traje informal», o que significava que os alunos eram autorizados a vestir o que quisessem nesses dias se doassem dez dólares para a causa. Um desses dias seguramente geraria dinheiro mais do que o suficiente para cobrir os gastos de transporte, mas primeiro Robin precisava de obter a autorização do diretor e falar com ele intimidava-a. No entanto, ele era a sua melhor hipótese de conseguir que a recolha de livros fosse um sucesso.

Robin imaginou que quanto melhor conhecesse a instituição de solidariedade social, mais convincente seria. Pesquisou informação sobre a organização e aprendeu tudo quanto pôde sobre as pessoas que queria ajudar, incluindo os índices de literacia na região. Também falou com a amiga para convencê-la a comparecer à reunião com ela, como apoio. O diretor não gritou nem expeliu fogo para a sua tímida estudante, mas infelizmente tão-pouco aceitou a ideia, pois não gostava dos «dias de traje informal» e não estava ansioso por aprovar um.

Contudo, Robin não estava disposta a desistir do seu projeto. Apelou ao coordenador de serviços da comunidade escolar, que sugeriu algumas outras opções. No final da semana, Robin e a sua amiga tinham organizado uma campanha *penny wars**. Prepararam dois conjuntos de caixas no refeitório, uma para as raparigas e outra para os rapazes, e desafiaram os seus colegas de turma para ver qual o género que conseguia reunir mais dinheiro. Os amigos de Robin passaram a palavra e pintaram pequenos folhetos que afixaram pela escola e pela cidade, pedindo dinheiro, livros ou

---

* Técnica de angariação de fundos normalmente utilizada em escolas e nas quais um ou mais grupos competem entre si pela primeira posição na recolha de mais donativos. (N. do T.).

ambos. Num dado momento, Robin teve de falar ao grupo de escuteiros do seu irmão; eram cerca de duas dúzias de rapazes e os seus pais. Estava nervosa, mas concentrou-se na sua paixão pelo projeto, falando sobre os baixos índices de literacia no Malawi e como esperava mudar essa situação. No final da conversa, os escuteiros ofereceram as suas próprias mesadas.

Os livros e o dinheiro começaram a pingar. Quando chegou o verão, após seis meses de trabalho, Robin e os seus colegas tinham recolhido 1177 livros. Robin constatou que precisava de cerca de seiscentos dólares para pagar os custos de transporte e uma vez que o dinheiro que tinha não chegava, vendeu alguns dos livros excedentes a um alfarrabista para cobrir a diferença. Depois reuniu alguns amigos e a família, transformou a sua casa numa sala de expedição de correio, pôs música a tocar, e o grupo embalou com rapidez vinte e três enormes caixas com livros. Havia todo o tipo de livros, infantis, manuais escolares e até um belo atlas.

Quando Robin entregou finalmente as caixas na estação de correio, o fruto do seu trabalho, sentiu uma enorme sensação de alívio. No entanto, mais do que tudo, sentiu orgulho. Esse orgulho transformou-se em confiança, tanto em si como na capacidade de cumprir os seus objetivos.

## COLABORAR POR UMA CAUSA

Como codelegados da sua escola privada de Manhattan, o extrovertido Brian e o introvertido James juntaram as suas aptidões complementares para promoverem uma grande causa (no Capítulo Oito conhecemos já a bem ajustada parceria de ambos). Durante o seu mandato no conselho de estudantes, apresentaram numerosos eventos educacionais e de entretenimento como excursões de um dia a parques de diversões, assembleias e concursos de talentos. No entanto, o feito de que talvez mais se tenham orgulhado foi o de terem expandido os esforços da escola nos serviços à comunidade. O seu plano era encorajar os jovens a envolverem-se no banco alimentar local. Por isso, os dois amigos organizaram uma assembleia geral da escola e, diante de setecentos e cinquenta jovens, descreveram o trabalho do banco alimentar e explicaram porque precisavam de ajuda. Brian, o extrovertido, estava encantado por estar em cima do palco. «Eu disse algumas piadas e diverti-me imenso», recorda.

E o introvertido James? Nem tanto. Mas apesar dos seus nervos, também falou. Explicou a todos que os alimentos mais baratos são muitas vezes os menos saudáveis. Consequentemente, as pessoas de baixos recursos dos arredores da cidade de Nova Iorque não conseguem beneficiar de uma alimentação equilibrada. O banco alimentar com quem trabalhavam oferecia comida saudável e gratuita, informou James, mas precisavam de mais voluntários.

Graças à paixão tranquila de James e ao encanto espontâneo de Brian, quase três dezenas de jovens inscreveram-se como voluntários.


## TUTELA

À medida que Carly, uma atriz introvertida de teatro musical, se aproximava do fim do curso, pensava como tinha evoluído através da transição da escola primária para o ensino básico e deste para o ensino secundário. Mais do que tudo o resto, sentia que o programa de serviço à comunidade a tinha ajudado a crescer, permitindo-lhe tomar consciência de que podia ser uma pessoa muito generosa.

A escola exige que os estudantes desempenhem vinte e quatro horas de serviço comunitário durante o sétimo ano e depois no décimo segundo. «Isso transformou-me completamente», diz Carly, «ofereci-me muitas vezes como voluntária, para além do que era exigido.»

Carly ofereceu-se como voluntária para um programa de resistência à droga para crianças e adolescentes da sua cidade natal, Vermont, servindo como conselheira em horário pós-

-escolar nos programas extracurriculares e de verão para estudantes até ao oitavo ano. O seu objetivo era proporcionar apoio não condenatório a jovens em risco de consumo de drogas. «Sempre tive a noção do tipo de coisas que promovem e acho que isso é importante. É poderoso porque se pode ser mentor de jovens sem sequer nos apercebermos disso. É bom simplesmente trabalhar com eles e causarmos impacto.» Segundo a maneira de pensar de Carly, ser uma pessoa tranquila é parte do que lhe permite ser uma boa voluntária. Por escutar pacientemente os jovens mais novos, consegue ter empatia com eles.

Como um ser introvertido, Carly faz especial questão de dar atenção a jovens silenciosos. «É um grupo grande e por vezes tentamos juntar os miúdos mais tímidos e introvertidos quando fazemos atividades de grupo, para que eles se apercebam que há outros jovens como eles. Não estão sozinhos, têm amigos. Durante o programa de verão, vamos nadar todos os dias depois de almoço. É a diversão por que eles esperam. Podem estar com amigos ou sozinhos. Alguns limitam-se a brincar na areia e a ler. Sei perfeitamente de onde eles vêm, por isso não procuro impedi-los.»

## AGITAR O MUNDO TRANQUILAMENTE

No Manifesto para Introvertidos do início deste livro citei Mahatma Gandhi. Este pequeno e pacífico sábio, que insistiu na não-violência e na contenção, liderou uma revolução que mudou o curso da história. Em 1947, após quase dois séculos de opressão, a Índia foi finalmente libertada do ilegítimo domínio britânico. E foi o introvertido Gandhi quem conduziu o país à independência.

Não é preciso combater as nações para mudar o mundo. Jovens como Robin e Carly mostram que podemos dar um pequeno passo de cada vez e que não precisamos de falar alto ou ser expansivos para conseguirmos os nossos objetivos. Eis alguns conselhos sobre como podes fazer a diferença à tua maneira:

**DESCOBRE UMA CAUSA PODEROSA:** Por vezes, qualquer nobre aspiração te pode tentar, por isso tens de estar certo de escolher algo que tenha eco profundo em ti. Para Robin, uma leitora insaciável, foi um projeto de biblioteca. Para ti, pode ser algo completamente diferente.

**USA AS TUAS FORÇAS:** Quando Wendy Kopp iniciou a sua missão para melhorar as escolas mais pobres do país, começou pela pesquisa – o que para ela era algo natural. Mergulhou no problema, estudando tudo o que podia. Acalenta a *tua* força tranquila.

**ESTABELECE CONTACTOS SIGNIFICATIVOS:** Descobre pessoas que possam querer juntar-se à tua missão. Não tens de conhecer toda a gente. Algumas relações profundas, cuidadosamente escolhidas, podem ser mais poderosas do que todo um grupo de relações superficiais.

**ESTICA O TEU ELÁSTICO:** Embora precises de confiar nas tuas forças como introvertido, sem dúvida que haverá momentos em que tens de sair da tua zona de conforto. Robin falou diante do grupo de escuteiros. James reuniu-se em assembleia com os seus colegas para que eles se inscrevessem como voluntários e fizessem donativos. Wendy aprendeu a aceitar o seu papel de líder e a envolver-se mais diretamente com a sua equipa de trabalho. Nem sempre é fácil – não tem de ser – mas podes consegui-lo.

**PERSEVERA:** A causa certa vai exigir esforço e apresentar momentos difíceis quando não tiveres a certeza se podes continuar. Robin teve que ultrapassar o desinteresse do diretor da sua escola. Wendy sofreu incontáveis recusas quando começou a sua organização. E num extraordinário ato de coragem, Rosa Parks ergueu-se perante uma comunidade inteira recusando submeter-se a leis opressivas. Estas pessoas acreditaram nas suas missões, por isso perseveraram – e foram bem-sucedidas.

## Capítulo Treze
# TRANQUILO SOB A LUZ DA RIBALTA

Embora possam não ser os que falam mais alto ou que procuram mais atenção, há muitos jovens introvertidos que descobrem maneiras de se comportar e partilhar os seus talentos com outros. O processo de assumir o palco é diferente para todos. Alguns introvertidos não são tímidos e na verdade até apreciam a luz da ribalta e sentem que a sua capacidade de memorizar falas e controlar a interação é uma maneira segura de estabelecerem contacto com o público. Outros são envergonhados, exceto quando estão a representar um papel: «Na realidade não sou eu que está lá em cima», dizem. Outros sentem-se aterrorizados, mas cerram os dentes e avançam.

Há ainda outros que não querem ter nada a ver com o palco – e também isso é normal. Como sabes, no meu caso precisei de várias décadas até me sentir à vontade a falar em público. Para teu próprio conforto, espero que o consigas mais depressa do que eu – mas deves avançar ao teu ritmo. E, entretanto, quero apresentar-te a alguns jovens protagonistas cujas histórias poderão ser-te familiares.

Carly considera-se bastante introvertida, mas não é propriamente tímida. Sempre esteve muito envolvida em atividades de grupo extracurriculares. Juntou-se ao grupo coral da escola quando era caloira e chegou a atuar no Carnegie Hall e no Lincoln Center. E durante o ensino secundário também praticou sempre desportos de equipa.

Graças à sua experiência com o coro da escola, conseguiu um dos papéis principais no musical da primavera do seu ano de finalista. Sempre se sentira segura no coro ou a praticar desporto nos recintos desportivos entre outras jogadoras, mas agora iria recitar um monólogo e cantar a solo no palco sob a luz da ribalta! Esta era uma situação muito mais assustadora. Mas a escola de Carly tinha um programa de artes muito sólido – tanto o encenador como o coreógrafo do musical haviam ambos praticado na Broadway – e ela estava empolgada para obter a resposta deles sobre a sua atuação e o seu canto.

Havia quatro sessões do espetáculo e todas elas com lotações esgotadas. A primeira noite foi frenética. No entanto, para surpresa de Carly, graças à sua anterior experiência como cantora e também como atleta, não só conseguiu ter um fantástico desempenho como também conseguiu vencer os seus nervos.

«O melhor conselho que recebi foi o de não olhar para o público; olhar para o balcão ou para a luz da saída de emergência. Na segunda sessão já tinha ultrapassado a questão do nervosismo. Penso que o facto de já ter experiência como atleta ajudou. O nosso encenador estava sempre a dizer-nos que o desporto e o teatro na verdade estão ligados. Em ambos os casos tem de se praticar exaustivamente, e de certo modo, praticar um desporto diante do público é como representar num espetáculo.

Liam é outro introvertido que adora representar. Logo no primeiro ano se manifestou assumidamente como amante de teatro e em todos os anos que se seguiram desde então conseguira sempre o papel cómico na peça da escola. Contudo, seria incapaz de se classificar como o palhaço da turma; o seu talento para a comédia era evidente na sua atuação mais do que na sua vida quotidiana. «De um modo geral sou muito calado. É mais divertido para mim fazer rir as pessoas nas atuações. Quando ando por aí ou estou nas aulas, não conto tantas piadas.» Para Liam, ser expansivo e divertido é mais fácil quando veste a pele da personagem. É parte da sua missão e ele sabe perfeitamente o que tem de fazer. Em palco, o seu papel é claro.

Para estes jovens atores, conversar pessoalmente, fora do palco, por vezes não é tão óbvio. Embora goste da maioria dos jovens da sua turma, Liam prefere estar apenas com o seu melhor amigo, Elliot, que conhece desde o primeiro ano. Liga-os o seu interesse comum pela comédia. Quando não estão juntos a conversar, estão a fazer vídeos com o iPad de Liam. Por vezes são as estrelas dos vídeos, outras vezes os animais domésticos de Liam – isto é, dois cães, uma tartaruga e um gato – é que são a principal atração.

«Fazemos anúncios a fingir, ou inventamos histórias. Escrevemos algumas, mas a maior parte é improviso. Quanto mais conheço a comédia, mais quero melhorar o meu desempenho. Gosto de ler livros que me fazem rir, e ver filmes e paródias que são divertidos e que outros utilizadores do YouTube criam.» Ambos começaram a publicar os seus vídeos no YouTube e estão entusiasmados em conseguir mais fãs.

Liam descobriu que o retorno positivo que tem recebido sobre o seu talento como comediante, tanto em palco como online, lhe deram a confiança para tentar uma arte performativa completamente diferente: tocar bateria. «Adoro bateria, mas praticar exige muito trabalho. Enquanto estou a tocar, nem sempre é agradável. A melhor parte para mim é ouvir o quanto melhorei com o tempo. Fico entusiasmado por mostrar a todos como estou a ficar melhor.»

Juntar-se à banda rock da escola e atuar na noite no concerto anual foi a maneira perfeita de o fazer. Todos os pais estiveram presentes. «Todos estavam nervosos por poderem enganar-se, mas mesmo que isso tivesse sucedido, tocávamos demasiado alto para que alguém desse por isso», recorda Liam com um sorriso. Hoje, este ator, humorista e introvertido, pode acrescentar o ser músico à sua crescente lista de identidades.

## BRILHA UM TÍMIDO INTROVERTIDO

Carly e Liam são exemplos de introvertidos, mas não especialmente tímidos. Embora passem grande parte do seu tempo sozinhos ou com os seus amigos mais chegados, a sua natureza introvertida não os inibe na sua capacidade de serem ousados em frente dos outros. Mas Ryan, um rapaz da Geórgia, é simultaneamente introvertido *e* tímido. Para se habituar à luz dos projetores precisou de dois anos de prática. Participou em concursos de talentos, mas nunca se sentiu satisfeito com os seus desempenhos. Apesar de tudo, o palco atraiu Ryan na escola secundária, quando se juntou ao grupo de teatro e conseguiu um papel em *The Andersonville Trial*, uma peça passada durante a Guerra Civil. O seu nervosismo sobre o desempenho levou-o a efetuar uma pesquisa profunda sobre o seu papel. Coube a Ryan o papel de um recluso na prisão de Andersonville, um campo confederado no qual morreram treze mil prisioneiros da União. No primeiro ensaio, Ryan leu as suas deixas com pouco sentimento. No entanto, mais tarde, o grupo de teatro fez uma visita de estudo ao local da prisão. Quando lá chegou, Ryan começou a imaginar a experiência daqueles prisioneiros a viverem em condições tão sórdidas, com pessoas a morrerem à sua volta. Mergulhou profundamente na personagem que devia representar e quando subiu ao palco para o desempenho ao vivo, já não estava a recitar as palavras do texto. Pensara tanto e tão profundamente acerca da situação que quase se transformara naquele prisioneiro.

Ryan achava que representar era mais fácil, de certo modo, do que atuar num concurso de talentos. As luzes e os olhares do público ainda continuavam a ser intimidantes, mas estudara tão intensamente a sua personagem que já não se sentia como se estivesse no palco. Era a sua personagem que estava ali em frente de todas aquelas pessoas e já não Ryan. A sua empatia e observação tranquila revelaram-se as forças motrizes por detrás do seu magistral desempenho.

## A FADA MADRINHA É SOPRANO

Embora fiquemos frequentemente nervosos quando os olhares se concentram em nós, Ryan, Liam e Carly são a prova de que os introvertidos nem sempre se satisfazem com ficar na audiência. Por vezes sentimos a atração das luzes da ribalta e procuramos atenção e aplausos. A nossa aptidão para observar pode ser decisiva para grandes desempenhos – reparamos no que funciona e no que não funciona, e temos a noção de como aperfeiçoá-lo.

De facto, alguns dos melhores intérpretes das últimas décadas são introvertidos. Como antes mencionei, Beyoncé é conhecida como uma artista profundamente confiante e talentosa, mas nas suas entrevistas descreve-se como uma pessoa tímida e reservada. O mesmo se aplica a Michael Jackson, que ficou conhecido como o «Rei da *Pop*». Podia exibir o *moonwalking* no palco de um estádio frente a mais de cem mil pessoas. Mas sucedia também que passava o resto do seu tempo em casa, com os seus amigos mais chegados e a família. E embora os humoristas de *standup* sejam conhecidos pelo seu comportamento espalhafatoso e algo caricatural, o cómico e autor Steve Martin admitiu: «Sou fundamentalmente tímido e ainda me sinto um pouco embaraçado com a atenção desproporcional.»

Ou vejamos o caso de Emma Watson. Nos filmes de Harry Potter, ela causa uma excelente impressão de extrovertida; a sua personagem Hermione Granger está constantemente a erguer a mão e a levantar-se para falar por si e pelos seus amigos. No entanto, Watson identifica-se como introvertida. «Quando tomei consciência disso foi extremamente proveitoso», disse numa entrevista, «porque me senti como: "Oh, meu Deus, deve haver algo de errado comigo, porque não quero sair e fazer o que todos os meus amigos desejam." Se tenho de estar sob os olhares do público», acrescenta Watson, «quero que seja por algo que valha a pena.» Faz sentido, então, que em 2014 ela tenha assumido o papel de Embaixadora da Boa Vontade da UN Women, resoluta e senhora de si, num discurso nas Nações Unidas sobre a igualdade dos géneros.

A simples ideia de um *intérprete introvertido* pode parecer algo contraditória, mas a pediatra Marianne Kuzujanakis afirma que representar não é tanto uma escolha mas mais uma necessidade para os atores, músicos e comediantes introvertidos. «Quer cantem, dancem ou representem, possuem o talento e a paixão que clama por se expressar. Se estar sob os olhares do público é a melhor maneira de expressarem o que lhes vai na alma, alguns decidem que a sensação de risco vale bem a pena. Depois do seu desempenho, podem regressar aos seus reais egos e recuperar energia se disso precisarem.»

# UM EMPURRÃOZINHO DA MÃE

Uma jovem australiana chamada Victoria sempre adorara cantar. Victoria era inteligente, estudiosa e reservada. Experimentou muitas vezes participar em musicais escolares, mas nunca num dos papéis principais. As luzes da ribalta não a atraíam da mesma maneira que a Ryan; preferia misturar-se com o coro. «Procurava assegurar-me ficar atrás dos outros», contou Victoria.

Mas um dia foi confrontada com um desafio relevante.

A mãe de Victoria tinha uma reunião importante no dia do musical. Prometeu que se escaparia da reunião e que iria assistir, com uma condição. Simples e unicamente se Victoria desempenhasse um papel principal. A mãe estava cansada de tentar fazer saltar a voz da filha para fora do coro. Queria que Victoria soubesse que acreditava nela, e queria ver Victoria acreditar o suficiente em si mesma para revelar todo o seu talento.

Victoria decidira experimentar. «Eu queria mostrar às pessoas que tinha alguns talentos musicais», recorda. O musical de Stephen Sondheim, *Into the Woods*, tinha numerosos papéis fantásticos e uma vez que Victoria ainda não estava pronta para o principal, decidiu experimentar o da Fada Madrinha de Cinderela. Para sua surpresa, ganhou o papel e os nervos imediatamente se instalaram. Tinha de cantar como soprano, ou seja, várias notas acima do seu registo. E o texto exigia que em determinado momento ficasse suspensa dois metros e meio acima do solo! Não era *definitivamente* o mesmo que estar no coro.

Porém, tal como com os outros jovens que conhecemos, o lado introvertido de Victoria permitiu que ela se destacasse. Enquanto Ryan transformou a sua abordagem contemplativa numa vantagem para aprofundar a personagem que representava, Victoria fez da sua capacidade para praticar e se concentrar uma força. Treinou durante meses para alcançar notas mais agudas com a sua voz, e para se preparar para o momento em que todos os olhos e ouvidos do público iriam estar totalmente voltados para ela. «Durante toda a semana anterior, tive uma profunda apreensão sobre se não iria falhar e começar a tremer e a vacilar», relembra.

Pelo contrário, descobriu que era uma sensação maravilhosa ser uma das estrelas. Só o facto de estar ligada ao microfone era excitante. E apesar dos seus medos, tudo correu perfeitamente. «Quando entrei no palco, nada aconteceu. Estava muito calma.»

Com a mãe orgulhosamente sentada entre o público, Victoria conseguiu cantar todas as notas e interpretou o seu papel perfeitamente. A mãe ouviu rapazes e raparigas do público reagirem com admiração. «Ela sabe cantar!», diziam. «Quem diria?»

## TEORIA DO TRAÇO LIVRE

Como investigador de psicologia, o Dr. Brian Little dedica-se ao estudo das complicadas formas de como a mente humana e as emoções funcionam. Quando o conheci há alguns anos, ele encontrava-se na faculdade em Harvard e era um dos professores mais estimados no *campus*. Era conhecido como um professor apaixonado e dedicado como nenhum outro. Na faculdade, os professores têm um «horário de gabinete», durante o qual os estudantes podem ser recebidos para falarem em privado sobre assuntos das aulas ou pessoais. Quando Brian Little assegurava o seu «horário de gabinete», a fila estendia-se pelo corredor até ao átrio, como se ele estivesse a oferecer bilhetes para a Super Bowl.

Quando estava diante dos estudantes, Little agia tão expansivamente como um extrovertido. No entanto, em privado, era introvertido e gostava de ter tempo para ele. Será possível fazer ambas as coisas e ao mesmo tempo continuarmos sinceros connosco e para com as nossas forças tranquilas? Penso que vais achar que a resposta é sim – desde que te expandas para além da tua zona de conforto e ao serviço de pessoas ou projetos que realmente te motivem.

Com base nas suas próprias experiências, Brian Little surgiu com uma nova teoria de psicologia, conhecida como Teoria do Traço Livre, para demonstrar esta verdade. De acordo com a Teoria do Traço Livre, nascemos com determinados traços de personalidade, mas também podemos adotar outros novos quando realmente precisamos deles, ao serviço dos nossos «projetos pessoais nucleares». Assim, os extrovertidos não são os únicos que podem usar o seu encanto em palco. E os introvertidos não são os únicos que conseguem sentar-se e devorar artigos *online*, ou passar horas a praticar um instrumento musical.

Recuperemos Hermione Granger, a personagem extrovertida representada pela introvertida Emma Watson. A premente necessidade de Hermione falar nas aulas nos romances de Harry Potter parece contrastar com a sua capacidade de devorar livros, mas quando está a estudar ela é um exemplo da Teoria do Traço Livre. Guiada por uma paixão pelo conhecimento, senta-se sozinha e lê vorazmente. A teoria de Little aplica-se a todos nós e diz que podemos assumir traços opostos quando temos inspiração suficiente.

A minha própria história com os projetores de luz é um exemplo da Teoria do Traço Livre. Hoje falo regularmente em palcos perante audiências de centenas, por vezes, milhares de pessoas. Sorrio, movo-me e gesticulo para explicar os meus pontos de vista, e falo com toda a energia e paixão da minha alma. Pode parecer surpreendente falar a uma multidão sobre a introversão, e eu bem podia ver como algumas das pessoas que me viam falar podiam assumir que eu era extrovertida. Eu aparento estar à vontade em palco. Por vezes faço rir as pessoas, o que acho ótimo. Mas a razão pela qual sou capaz de agir desta forma é porque me interessa profundamente aquilo sobre que estou a falar. Sou apaixonada por jovens e adultos introvertidos e pelo facto de precisarmos de ser reconhecidos. Falar sobre isso estimula-me!

Desnecessário será dizer que nem sempre estive à vontade sob os projetores como estou agora. Nunca mais me esqueço de quando frequentava o oitavo ano e estava na aula de Inglês com alguns dos meus bons amigos. Estava rodeada por rostos familiares, por isso estava mais à vontade e falava mais na aula. Daí resultou que a minha professora não tinha a mínima noção que eu era tímida. Um dia, estávamos a estudar *Macbeth*, de Shakespeare, quando ela me chamou para ir à frente da sala com outro amigo meu. Entrei imediatamente em pânico – sobretudo quando a professora explicou que íamos representar um trecho e que o meu papel era o de Lady Macbeth. A personagem do meu amigo seria o condenado rei da Escócia, e a nossa missão era representar uma das cenas críticas. Mas, não íamos ler pelos nossos livros. Em vez disso, a professora queria que nós improvisássemos as nossas versões das falas de cada personagem.

Supostamente, isto devia ser divertido. *Divertido?* Se me fosse possível desparecer no ar, fá-lo-ia. O meu rosto corou. Não consegui abrir a boca. Para surpresa da professora, comecei a tremer e tive que me sentar. Não disse uma palavra até ao fim da aula e naquele dia atravessei os corredores sentindo-me extremamente envergonhada por não ter sido capaz de avançar e não me apoquentar.

A minha professora era maravilhosa, e com qualquer outra estudante aquele trabalho podia ter sido uma experiência fantástica. Mas eu senti a pressão de tal forma que aquilo me pareceu uma situação de vida ou morte.

Hoje, sei que é possível ultrapassar estas reações quase alérgicas a ser o centro das atenções. Até sei que a minha natureza introvertida pode ser uma vantagem no palco. Quem me dera ter sabido isso naquela altura, mas espero poupar-te hoje ao mesmo problema!

# UMA AUDIÊNCIA DE BONECOS

Para Caitlin, uma jovem de dez anos, a ideia de falar em público era assustadora. Caitlin era extremamente tímida e introvertida. A sua voz era tão suave que até a sua família tinha de se esforçar para a ouvir, e havia algumas pessoas com quem ela não falava de todo. No segundo ano, a frustração da professora pela relutância de Caitlin em falar era tanta que a escola recomendou que ela recebesse aulas especiais de educação. Mas Caitlin não estava a ficar para trás. De facto, estava a conseguir notas excelentes em todas as matérias. Simplesmente era na verdade calada.

No quinto ano, a cada estudante da turma de Caitlin foi atribuído um trabalho que consistia numa intervenção oral de cinco minutos sobre determinado assunto. Caitlin ficou nervosa, por isso começou imediatamente a preparar-se. Primeiro leu tudo o que pôde sobre o tema que lhe coube, Amelia Earhart. Depois, quando se achou suficientemente informada, fez uma apresentação PowerPoint repleta de notas sobre a corajosa vida da mulher-piloto. Quando a apresentação ficou pronta, o pai de Caitlin veio ajudá-la. Tal como ela, também era introvertido, mas aprendera a disfarçar esse seu lado quando necessário. Aprendera a dominar a arte da conversa fútil e tornara-se membro da Toastmasters, uma organização que ajuda os adultos a conseguirem falar perante grandes grupos. Chegara o momento de passar todos os seus truques para a filha.

Instalaram a apresentação no seu portátil, mesmo no meio da sala de estar. Primeiro, o pai sentou-se à frente de Caitlin e ela falou só para ele, contando-lhe a história da vida de Amelia Earhart. Seguidamente, espalhou pela sala dez animais de peluche. Explicou que eram duplos de estudantes da turma dela. Caitlin riu-se por aquilo parecer algo tonto e infantil, mas o pai assegurou-lhe que era a sério. Pediu-lhe para fazer de novo a apresentação, mas desta vez queria que ela estabelecesse contacto visual com cada um daqueles peluches. Deste modo, quando ela estivesse a fazer a apresentação na escola, estaria já acostumada a movimentar o olhar pela sala, só que iria ver a sua professora e colegas em vez dos seus bonecos de peluche. Caitlin e o pai praticaram aquela dissertação de cinco minutos em frente daquela audiência fingida durante mais de uma hora – ou seja, doze vezes! Alguns dias depois, ela fez uma apresentação brilhante na aula, sem uma falha, e recebeu uma nota alta pelo trabalho.

A história de Caitlin mostra uma das primeiras pistas para ter sucesso quando se é o centro das atenções: a preparação é absolutamente vital. Eu não tive oportunidade de me preparar para o improviso shakespeariano naquele dia durante o oitavo ano, mas mais tarde aprendi que a prática pode aprontar-nos para tudo.

Em 2012 fui convidada para falar perante uma audiência de mil e quinhentas pessoas na grande conferência TED na Califórnia. De início fiquei aterrorizada, mas à data da conferência, havia já quase um ano em que eu me tinha treinado para ser uma melhor oradora em público. Tal como o pai de Caitlin, aderi ao Toastmasters. (Mais tarde, honraram-me com um prémio por discursar em público!) Trabalhei com um monitor TED de discursos em público. Cheguei mesmo a encontrar-me com o meu professor de Representação, para me ajudar a ser mais confiante ao expressar-me. Mostrou-me como a linguagem corporal, a inflexão e até os adereços podem ajudar a dar vida a um discurso.

Quando chegou a altura de eu falar, ainda estava nervosa. No meio da multidão estavam o fundador da Microsoft, Bill Gates, o antigo vice-presidente Al Gore e a atriz Cameron Diaz. Mas eu estava pronta e a apresentação decorreu maravilhosamente. Para mim, a experiência desvanecera-se, mas disseram-me que fui aplaudida de pé e, no espaço de uma semana, a minha conferência foi visualizada *online* mais de um milhão de vezes. Aqui, a lição é simples e tanto se aplica a peças de teatro, concursos de talentos e apresentações nas salas de aula do quinto ano como a discursos e conferências. Não tive sucesso por ser instintiva. Fui bem-sucedida porque estava preparada – e estava preparada porque, como introvertida, *tinha* de o estar.

## COMO BRILHAR SOB OS PROJETORES

Na próxima vez que tiveres de falar frente a uma audiência, tem em mente estes conselhos. Não te preocupes se vais *sobreviver* à luz dos projetores. Se seguires estes passos, vais *brilhar*:

**PREPARA-TE:** Quanto mais trabalho fizeres antes para aperfeiçoar a tua apresentação ou desempenho, mais confiante estarás frente ao teu público. Primeiro, domina o conteúdo, depois começa a praticar. Testa o teu discurso frente ao espelho, ou então faz um vídeo de ti mesmo e reprodu-lo depois para ver como te desembaraças. Normalmente irás achar que estás muito melhor do que pensavas – e esta constatação irá fazer com que te sintas muito melhor.

**ESTUDA OS ESPECIALISTAS:** Se possível, procura exemplos *online* de oradores ou intérpretes experimentados em ação. Procura encontrar aqueles que têm um estilo pessoal semelhante ao teu. Estuda-os. Observa como se levantam, movem e alteram as suas vozes. Mas não tentes ser alguém que não és. Se tiveres bom sentido de humor, usa-o. Mas se fores mais sério, não precisas de te transformar num comediante; concentra-te em partilhar seriamente histórias interessantes. A chave para um discurso arrebatador é seres completamente tu em palco – e ter algo real para contar.

**LENTAMENTE, DOMINA A PRESSÃO:** Primeiro, começa a praticar sozinho, depois aumenta de grau para alguns amigos ou familiares. De cada vez, interroga-te sobre quão ansioso estás numa escala de 1 a 10,

Deves praticar sobre uma gama de 4 a 6, não sobre a de 7 a 10. Se precisares de testar o teu discurso em frente de bonecos de peluche em vez de pessoas, isso é perfeitamente normal.

**AMBIENTA-TE:** Se possível, visita previamente o espaço onde vais falar, seja um auditório, uma sala de aula, ou um espaço novo e desconhecido. Visualiza o público. Imagina como te sentirás com dezenas ou mesmo centenas de olhares sobre ti. Se isso te causar nervos, procura praticar em frente de um bom grupo de amigos ou familiares que tem apoiem.

**RESPIRA:** Quando chegar o teu momento, inspira profundamente antes de começares, e continua a respirar profundamente para te descontraíres enquanto falas, cantas ou representas. Inspira o ar, lenta e profundamente, para encher o teu ventre como um balão. Quando expiras o balão deve esvaziar-se. Inspira pelo nariz, sustém a respiração enquanto te for confortável e depois expira pela boca. Este conselho pode parecer-te banal, mas funciona!

**SORRI:** Este é um dos truques mais simples mas mais importantes. Sorrir é um excelente quebra-gelo. Não importa se estás nervoso ou desconfortável, sorri para a tua audiência antes de começares. Lembra-te de sorrir enquanto falas e fá-lo de novo no fim. Isto vai fazer-te sentir mais descontraído e confiante, e provavelmente vai provocar um sorriso de alguém da audiência que te irá alimentar o ego.

CONTACTA: Estabelece contacto visual com alguns membros amistosos da audiência ao longo da tua apresentação. Se alguém está carrancudo ou a bocejar, desvia o olhar e procura outro elemento do público mais enérgico e interessado. Cruzar o teu olhar com o de alguém que parece estar interessado no teu discurso vai fazer maravilhas pela tua confiança.

OLHA PARA FORA: Liderar não tem só que ver contigo; tem que ver com as pessoas que lideras. Interroga-te sobre quem são elas? Como podes servi-las melhor? Como podes ensiná-las melhor, ajudá-las ou fazê--las sentir-se mais confortáveis? Recorda que elas não estão lá para te julgar mas sim para aprender contigo. Pensa em ti como um modelo que pode ajudá-las e apresentar-lhes novas ideias!

# QUARTA PARTE

# EM CASA

## Capítulo Catorze
# NICHO REVIGORANTE

Um quarto de dormir. Uma varanda. Um campo de basquetebol. Um recanto na biblioteca. Uma cabana na árvore da
escola primária. A cave de um amigo. Todos estes são exemplos que as pessoas dão dos seus espaços seguros – refúgios
calmos para relaxar e recarregar baterias. Outro termo para
este espaço de segurança é «nicho revigorante».

Lembras-te de construir esconderijos secretos quando
eras garoto? Por vezes eram feitos de almofadas e lençóis,
outras vezes ficavam empoleirados nas árvores. Um nicho
revigorante é basicamente a mesma coisa. Descobre o teu!
Não tem de ser secreto ou sequer um forte, mas deve dar-
-te uma sensação de segurança, conforto e espaço pessoal.
O nicho revigorante pode ser tão pequeno e tão próximo
como uma cadeira no teu quarto, ou tão grande e majesto-
so como o areal de uma praia – ou algo que esteja no meio
das duas coisas.

O termo «nicho revigorante» foi cunhado por Brian Little, o psicólogo de Harvard que conhecemos no capítulo anterior. Ele usa-o para descrever um lugar físico ou até mental que te permita afastares-te do ruído e do caos do mundo, para ficares a sós com os teus pensamentos e sensações, e para rejuvenesceres após um longo dia passado à volta de muita gente. Um nicho revigorante vai permitir-te regressar ao teu verdadeiro ego. Como já referimos, os introvertidos podem ser extremamente sensíveis a estímulos exteriores. Um nicho revigorante dá-nos a oportunidade de reencontrar a nossa melhor zona de estímulo – e a nossa energia. Irmos a este lugar é como pressionar o botão de reiniciar.

## BANHADO POR LUZES DE NATAL

Há alguns anos, visitei uma escola no Ohio para falar sobre o poder dos introvertidos. Uma estudante chamada Gail começou a rever-se em algumas das histórias que eu contava. Ao aprender mais sobre a introversão, Gail começou a perceber porque se sentia muitas vezes desconfortável em ambientes supostamente divertidos, e em paz consigo mesma quando estava sozinha ou com apenas alguns amigos. O conceito de nicho revigorante provocou uma faísca em Gail.

Apercebeu-se que na sua vida não tinha um local assim. Em casa, passava a maior parte do tempo na sala de estar, mas normalmente com a televisão ligada, o que a impedia de sonhar acordada, ler, ou fazer os seus trabalhos de casa. Tinha o seu próprio quarto, mas era escuro e triste. Ah, e estava numa confusão total.

Depois de ouvir falar na ideia de um nicho revigorante, decidiu mudar algumas coisas. Se o seu quarto ia passar a ser o seu santuário, o lugar onde ela poderia pressionar o botão de reiniciar e regressar ao seu verdeiro eu, então precisava de ter um pouco mais de alegria. Depois de pendurar as suas roupas e deitar fora alguns dos seus papéis velhos, atacou o problema da iluminação. Colocou as velhas luzes de Natal da família no teto do seu quarto de forma a espalhá-las por todo o espaço e ligou-as à tomada no canto. Foi uma mudança muito simples mas deu ao seu quarto um brilho fresco e calmo. Gail estava encantada.

O nicho de Lola também é o seu quarto. «Gosto de me entreter. Vejo documentários extravagantes no Netflix ou seleciono um realizador e fico a ver uma série dos seus filmes. Gosto de pesquisar factos ao acaso e descobrir coisas. Preciso de espaço para ficar à vontade e recarregar. É preciso. Não saímos de casa sem o telemóvel recarregado – sinto o mesmo em relação a *mim*.»

Estes nichos também podem mudar conforme as estações do ano. Durante o inverno, Lola hiberna no seu quarto. No verão, o seu nicho é o parque de *skate*, ou a escada de incêndio com um batido e um livro.

# OS SANITÁRIOS REVIGORANTES

Até Brian Little aproveita muitas vezes os nichos revigo-rantes. Embora usualmente profira discursos vibrantes (que quase sempre terminam com o público a aplaudir de pé), descobriu que agir como um extrovertido era completamente esgotante. Após as suas divertidas e claras intervenções para audiências de estudantes e executivos perfeitamente rendi-dos, necessita muitas vezes de procurar refúgio num sítio tranquilo para estar algum tempo sozinho.

Há alguns anos, pediram a Little para proferir um discur-so no Royal Military College Saint-Jean, perto de Montreal, Canadá. A escola estava situada nas margens do rio Riche-lieu. O discurso de Little teve um sucesso enorme e os seus anfitriões perguntaram-lhe se não quereria depois juntar-se a eles para o almoço. Ele não queria ser indelicado, mas tam-bém sabia que precisava de algum tempo sozinho para re-carregar baterias, depois de ter falado tanto. Por isso, contou uma pequena mentira, informando os seus anfitriões que era apaixonado por barcos e que esperava que eles não se im-portassem que passasse a sua hora de almoço a caminhar ao longo do rio. Os anfitriões agradeceram, reconhecidos, e, fe-lizmente, não havia nenhum entre eles que partilhasse aque-la paixão fingida, e por isso deixaram-no a sós para passear à vontade. Quando regressou, depois de almoço, estava pronto para voltar a falar.

Little teve um tal sucesso que a escola continuou a convi-dá-lo ano após ano. E todos os anos ele usava o seu habitual passeio ao longo do rio para recuperar entre as intervenções. Mas um dia a faculdade mudou-se para um local mais urbano. Little regressou para mais uma preleção, mas já não tinha o seu rio. Assim, em vez de passear, escapou-se para os sanitários durante o almoço. É verdade. Ele achava que era mais relaxante sentar-se numa sanita do que juntar-se aos seus colegas para almoçar. Por vezes levantava os pés para que ninguém reconhecesse os seus sapatos e procurasse entabular conversa através da porta.

Os nichos revigorantes são essenciais para a felicidade do introvertido. Adoramos o tempo de descanso após um longo dia com aulas, família ou amigos. Contudo, infelizmente, nem sempre é fácil para jovens e adolescentes conseguirem encontrar a solidão. Recordemos a história de Lucy. Quando estava exausta por agir expansivamente toda a manhã e procurava almoçar sozinha, as suas amigas pediram-lhe explicações. Pensavam que estava furiosa com elas e não conseguiam compreender porque queria ficar sozinha. E de acordo com pesquisa científica recente, a reação delas não foi provavelmente tão invulgar. Uma preferência pela solidão entra frequentemente em choque com as normas sociais das escolas de ensino básico que colocam ênfase nos grupos e nas multidões. Num determinado estudo, os investigadores interrogaram 234 alunos do oitavo ano e cerca de duzentos finalistas do ensino secundário. Os cientistas descobriram que o desejo de solidão era reprovado pelos alunos do oitavo ano, enquanto os finalistas do secundário o achavam mais aceitável.

Garantidamente, há uma diferença importante entre uma pausa revigorante longe dos outros e comportamento antissocial. Alguns dos jovens deste estudo preferiam a solidão porque sentiam falta de aptidões sociais para se envolverem com os seus pares e eu mesma ouvi falar de jovens que se confrontaram com situações semelhantes. Quando Bailey estava a meio do ensino básico, comia todos os dias o seu almoço nos sanitários, completamente sozinha. Este não era exatamente o tipo de pausa que Brian Little recomenda. Bailey escondia-se. O refeitório, os grupinhos e os olhares dos seus colegas de turma eram mais do que podia suportar. Por fim, sentia-se tão subjugada que não conseguia suportar estar na escola e tinha de sair durante algum tempo. Felizmente, Bailey acabou por enfrentar o seu medo. Com a prática, desenvolveu as capacidades para cuidar de si mesma ao mesmo tempo que se envolvia com o seu meio. Mas aqui é importante compreender o debate. Quando sugiro a procura de um nicho revigorante, não estou a recomendar um esconderijo (embora evidentemente todos necessitemos por vezes de um). Deverá ser um lugar para se fazer um intervalo, para distensão e recarga, de modo a poderem enfrentar-se as pressões normais do dia a dia.

O lugar mais fácil para escavares o teu nicho revigorante pode muito bem ser em casa. Na escola, a retirada tem custos sociais, mas em casa, desde que expliques a tua necessidade de solidão, podes frequentemente ser deixado em paz, sem medo de ser julgado. (Falaremos mais sobre a vida em família e a família no próximo capítulo.)

Cultivar o nicho revigorante certo pode ter outros benefícios para além do relaxe do rejuvenescimento. Lembras-te do estudo com o sumo de limão? A experiência mostrava como os introvertidos são mais sensíveis aos estímulos exteriores, e o cientista responsável pelo estudo, Hans Eysenck, também acreditava que temos níveis ideais de estimulação. Assim, os extrovertidos podem procurar o ruído e as multidões, mas os introvertidos procuram a paz e a privacidade. Não fazemos isto simplesmente para nos relaxarmos. Também nos ajuda a pensar com mais clarividência.

Num outro famoso estudo, foi pedido a introvertidos e extrovertidos para participarem num difícil jogo de palavras enquanto usavam auriculares que emitiam ondas aleatórias de ruído. Quando os participantes no estudo eram autorizados a escolher o volume daqueles ruídos, os introvertidos optavam por um decibel inferior ao dos extrovertidos. Ambos os grupos tiveram bons desempenhos. (Isto reforça a ideia de que nenhum dos tipos de personalidade é melhor ou mais inteligente. Somos apenas diferentes e sensíveis a coisas diversas.) Porém, quando o volume dos auriculares dos introvertidos era aumentado e o dos extrovertidos reduzido, ambos os grupos tinham desempenhos inferiores aos anteriores.

Isto sugere que todos nós temos o nosso próprio nível ideal de estimulação, uma espécie de ponto de equilíbrio que combina a música certa, o volume perfeito, até a iluminação ideal, temperatura e público. E quando encontramos esse ponto de equilíbrio, podemos ser mentalmente mais perspicazes e potencialmente mais felizes.

# FORTALEZA DA SOLIDÃO

Até os super-heróis precisam de um nicho revigorante. Vejamos o caso de Batman, o homem-morcego combatente do crime. Após uma longa noite a atacar infames vilões, refugia-se na sua Batcave, um esconderijo subterrâneo e cavernoso. Podia refugiar-se num dos muitos quartos da Mansão Wayne e fechar a porta, mas para ele, a Batcave é onde pode ser verdadeiramente ele mesmo. Não é o único super-herói com um esconderijo tranquilo. Até o Super-Homem sente a necessidade de retiro. Quando as pressões de ser um alienígena a quem foi confiada a segurança da raça humana se tornam demasiado fortes, ela voa para a sua gruta gelada privada, a Fortaleza da Solidão.

Como nós não andamos de Batmóvel nem voamos, temos que criar a nossa Fortaleza da Solidão em casa, ou em qualquer outro lado em que nos sintamos seguros e aconchegados. Por exemplo, Rupal, a irmã introvertida de Raj, o matemático que conhecemos no Capítulo Cinco, ia diretamente para o seu quarto depois da escola e lá ficava durante uma hora, a ouvir música, a ler, ou a fazer os trabalhos de casa.

A mãe dos dois irmãos ansiava saber como seria o dia de Rupal, mas compreendia que aquele tempo a sós era importante para a filha. Rupal precisava daquele período de recuperação e normalmente, uma hora depois, saía do seu quarto pronta para conversar.

O seu irmão Raj tinha outra abordagem. Também gostava de se descontrair depois das aulas, mas não precisava de estar sozinho. Sentava-se à mesa da cozinha e mergulhava silenciosamente num livro ou num jogo. Não falava muito e a mãe sabia que era melhor não o incomodar. Aquele era o seu nicho revigorante, simplesmente sucedia que nem sempre gostava de estar sozinho, por isso o seu nicho revigorante ficava à distância de duas ou três cadeiras da mãe.

A escolha do teu santuário depende do espaço em que vives e das tuas próprias necessidades. Para Tyler, um estudante do sétimo ano do Minnesota, qualquer espaço exterior serve, desde que esteja rodeado por árvores. A natureza dá-lhe calma e estabilidade. Como jovem introvertido numa escola lotada, os seus dois passatempos preferidos não só lhe permitem como lhe exigem estar em silêncio: são a pesca e a caça. «No verão, o meu pai, a minha avó e eu saímos de manhã cedo para fazer longas caminhadas e caçar patos, ou metemo-nos no barco e vamos à pesca. Precisamos de concentração, repelente de insetos e total silêncio.» O arvoredo e o lago – diz ele – com o seu espaço aberto e o ar puro fazem desaparecer todo o stresse provocado pelos estudos e pelos amigos.

A segunda maneira preferida de se descontrair é... no ar. Isto porque Tyler tem a sorte de possuir um grande jardim nas traseiras de casa com um trampolim. Quando precisa de libertar energia, saltar para cima e para baixo e olhar o horizonte é outra forma de simplesmente respirar ao ar livre.

Entretanto, Rita, a viajante do mundo, considera o alpendre da casa da família como o nicho revigorante perfeito. Não precisa de solidão; senta-se juntamente com toda a família. Por vezes conversam, mas muitas vezes limitam-se a escutar as aves ou o som do vento a soprar por entre as árvores.

Durante todo o tempo em que frequentou a escola secundária, Noah descobriu que o seu nicho revigorante era na sua cave entretido com videojogos. Os pais interrogavam-se porque gostaria tanto de jogar. Preocupavam-se que fosse uma espécie de fuga à vida real. Mas para Noah, as histórias contidas nos jogos eram inspiradoras. Descobriu que despertavam muito mais a sua criatividade e não se limitavam apenas a incentivá-lo a ser um jogador melhor: faziam-no entusiasmar-se por criar novas histórias e ilustrá-las.

Procurar refúgio num nicho revigorante é procurar a descontração; é explorar os interesses próprios; mas acima de tudo é estares contigo.

## AURICULARES REVIGORANTES

Mas, se não tiveres qualquer privacidade ou tranquilidade em tua casa? A privacidade é muito importante para Karinah, especialmente para alguém que partilha com a irmã mais velha o quarto, sem fechadura na porta. Karinah encontra a solidão escrevendo histórias enquanto ouve música nos seus auriculares. Quando a sua irmã está a falar alto ou a ocupar espaço, Karinah vai para o alpendre na parte de trás da casa para ler. Se não estiver ninguém na cozinha, confeciona biscoitos enquanto assiste à *Adventure Time* no seu portátil.

E quando não consegue encontrar nenhum lugar tranqui-lo, Karinah cria um na sua mente. «Penso que desligar-me do som e das pessoas é algo que faço inconscientemente. Ninguém lá pode entrar. Faz-me sentir segura.»

Quando não puderes refugiar-te no teu nicho revigorante, pensa trazer até ti coisas revigorantes! Alguns jovens até conseguem encontrar paz enquanto estão amontoados no transporte escolar. Julia, uma adolescente de New Jersey, conta que muitas pessoas assumiam que ela não era madrugadora porque parecia sempre rabugenta na viagem de autocarro para a escola. Ela entrava e não falava a ninguém, mas não estava mal-humorada nem queria ser indelicada. Julia precisava simplesmente de algum tempo só para ela depois de acordar, para se preparar para o caos diário. Por isso, procurava um lugar à janela, colocava os auriculares, ouvia música, e observava os carros a passarem, as árvores e os prédios enquanto o autocarro avançava. Havia jovens à sua volta, mas – tal como Davis com o seus auriculares – ela estava no seu lugar tranquilo no interior da sua mente, a preparar-se para o dia.

## COMO CRIAR UM NICHO REVIGORANTE

Podes refugiar-te no teu quarto, como Gail, ou num livro ou numa canção que estejas a escrever, ou até nos sanitários, como o Dr. Little. Todos nós precisamos destes períodos revigorantes no nosso dia e se já encontraste esse sítio na tua vida, preserva-o. Se ainda não encontraste, aqui tens algumas sugestões para te ajudar a escavar o teu próprio pequeno nicho:

**O QUARTO-SANTUÁRIO:** O teu próprio quarto é frequentemente o melhor lugar para te refugiares e recarregares baterias. Considera algumas mudanças simples que tornarão o teu quarto mais acolhedor, como fez Gail com as suas operações de limpeza e com as luzes de Natal.

**UM CANTO TRANQUILO:** Por vezes podes não ter o luxo de um quarto próprio em casa. Ou podes ter a necessidade de recarregar baterias a meio do dia na escola. Nesse caso, procura um sítio tranquilo num recanto, senta-te, abre um livro, ouve música, ou simplesmente fecha os olhos e respira.

**NATUREZA:** As árvores podem constituir excelentes refúgios, pois proporcionam distância física entre ti e a multidão, e a sua presença é naturalmente calmante. Ou pensa recorrer à técnica de Brian Little: um simples passeio ao ar livre ou até dar uma volta pelo pátio ou recreio da tua escola pode ser uma excelente maneira de te descontraíres.

**A TUA PRÓPRIA CABEÇA:** Quando estás no meio de muita gente – num autocarro, num refeitório, ou numa casa cheia de irmãos e irmãs – podes criar o teu

# DESCOBRE A TUA FORTALEZA DA SOLIDÃO

forte de
cobertores

grande muralha
dos livros

caserna
caixa de cartão

vigia do sótão

torre ramo de
árvore

bunker
casa de banho

esconderijo cabina
telefónica abandonada

quartel-general
secreto

acima da agitação
e longe de tudo

santuário na tua própria mente, com a ajuda de um par de auriculares, um livro, ou apenas fechando os olhos e concentrando-te na tua respiração.

A ATIVIDADE CERTA: Também podes fazer algo que te relaxa no teu nicho revigorante. Seja um videojogo, saltar trampolim, tomar um duche ou cozinhar, arranja tempo para o fazeres. (Assegura igualmente que comes bem e dormes um mínimo de oito horas. Isto também vale para os extrovertidos!)

A BIBLIOTECA: É gratuita e é o lugar perfeito para te relaxares e teres os livros como companhia.

DO LADO DE FORA DA PORTA: Se estás a sentir-te oprimido num grupo, se há já algum tempo que não tens um momento em privado, sai por um instante. Quando te sentires indeciso, vai à casa de banho. Qualquer lugar onde possas recuperar e respirar fundo é bom.

## Capítulo Quinze
# TRANQUILO COM A FAMÍLIA

Jenny, a nadadora que já conheceste, teve umas semanas invulgarmente ocupadas num determinado verão. Primeiro, a família teve de passar um fim de semana fora, na festa de aniversário de um amigo. O fim de semana foi intensamente social, povoado por pessoas que faziam a Jenny todo o tipo de perguntas. «Ela não parava de dizer que queria que as pessoas lhe concedessem uma pausa», recorda a sua mãe. «Queria um dia de folga.» Mas ela já tinha planos. Na manhã após o regresso da festa, Jenny partiu para uma semana num acampamento de verão. Não era o género de campo de férias turbulento e altamente animado como aquele em que eu estive quando era jovem, mas quase. O campo estava repleto de jovens extrovertidos e voluntariosos, e Jenny fez os possíveis por fingir que era naturalmente expansiva e faladora, apenas para se adaptar. Quando voltou para casa, a família estava ansiosa para saber como ela tinha passado no acampamento. «Já não a víamos há uma semana», recorda a mãe, «estávamos curiosos por saber tudo e conversar.»

Os pais de Jenny tinham planeado um jantar de família e depois verem um filme juntos. Infelizmente, outra atividade de grupo era a última coisa de que Jenny precisava. «Ela ansiava realmente por algum tempo a sós, mas demorámo-la muito», conta a sua mãe. «Naquela noite ela descontrolou-se.»

Foi uma daquelas explosões de uivos, gritos e portas a bater – talvez as conheças. Estas explosões nem sempre são uma coisa má. Nós, os introvertidos, podemos ficar tão contraídos que libertar as nossas sensações numa boa sessão de explosão, de vez em quando, pode saber-nos imensamente bem. É um enorme alívio, como esvaziar um balão.

Mas Jenny e a mãe sabiam que aquele descontrolo em concreto podia ter sido evitado. A mãe falou com ela pouco depois do sucedido, reconhecendo perante Jenny que «quando precisas de recarregar baterias, *precisas mesmo* de recarregá-las». A mãe prometeu-lhe que ia procurar reconhecer melhor quando ela estava a atingir o seu limite e pediu-lhe para que se esforçasse mais em expressá-lo antes de tudo se descontrolar.

É precisa muita autoconsciência para reparar neste tipo de hábitos e emoções. Jenny estava no início da adolescência e a mãe sentiu que era tempo de ela começar a aceitar mais responsabilidades. Sabia que a filha era capaz daquele nível de maturidade. Se Jenny conseguisse reconhecer as suas necessidades, então poderia expressá-las, retirar-se para a sua

Fortaleza da Solidão, relaxar naquele espaço e emergir refrescada e livre de birra. Parece bastante simples, certo? Bem, há mais do que um fator: Jenny faz parte de uma família. E quando se faz parte de uma família, há muitas outras necessidades e sentimentos a ter em conta, e não meramente as nossas. No caso particular de Jenny ela tem uma irmã. E a sua pequena irmã é o seu exato oposto.

## ARRANHAR À PORTA

Desde muito cedo que a mãe de Jenny reconheceu que embora as suas filhas tivessem apenas dois anos de diferença, as suas personalidades estavam separadas por *anos-luz*. «Jenny é um gato e Amy é um cão», explica a mãe. «Jenny quer aconchegar-se algures com um livro e estar sozinha, e Amy é como um cachorrinho. Gosta de ter muita atividade à sua volta.» Amy sempre gostou de estar à volta das pessoas, principalmente da sua irmã mais velha, Jenny.

Sempre que Jenny se refugiava no seu quarto, na expectativa de ficar sozinha e descomprimir, a sua pequena irmã não tardava em bater-lhe à porta alguns minutos depois. Jenny procurava ser uma boa irmã mais velha, mas isso podia ser um grande desafio. «Dependia do tipo de humor com que estava», confessa. «Se estivesse acompanhada por pessoas durante o dia, era menos provável que dissesse: "Está bem, vamos fazer alguma coisa juntas."» Como era uma adolescente, o humor era também um fator importante. Por vezes simplesmente não se sentia com disposição para dar atenção à sua irmã mais nova.

A questão para Jenny, Amy e os seus pais era como dar a ambas aquilo de que precisavam. Este problema atingiu um ponto crítico durante umas férias da família. Foram de carro até Columbia River Gorge, um paraíso na montanha que se estende do Oregon até Washington. Durante todo o tempo choveu, o que foi uma deceção para os planos familiares de nadar, velejar, andar de caiaque, fazer esqui aquático e grandes caminhadas. Jenny não se importava nada. Tinha trazido os seus livros e o bloco de esboços. Estava feliz por poder passar o tempo a ler e a desenhar no apartamento que tinham alugado. Pelo contrário, para Amy, o estado do tempo era um travão terrível.

Acabaram por chegar a um acordo. Foi concedido a Jenny um certo tempo para a leitura e, durante esse período, Amy tinha de a deixar sozinha. Mas depois Amy também tinha direito ao seu tempo. Jenny prometeu nadar à chuva com a irmã – e fazê-lo com um sorriso no rosto, não com uma sobrancelha franzida de relutância. O par sobreviveu à viagem chuvosa, e no ano seguinte os pais descobriram uma nova estratégia. Convidaram uma das boas amigas de Jenny, que por acaso era extrovertida, e essa amiga acabou por ajudar a satisfazer a necessidade que Amy tinha de interação, o que concedeu ainda mais tempo a Jenny. «Incorporar mais alguém na mistura aliviou a pressão de Jenny», diz a mãe. Para sua surpresa, em vez de reduzir o tempo que as duas irmãs passavam juntas, aquela pessoa extra na verdade ajudou ambas.

# POLÍTICA DE PORTA ABERTA

Como mencionei antes, cresci numa família de pessoas tranquilas e contemplativas. Cada um de nós pendia mais para o lado introvertido do espectro de personalidade e conheci muitas outras famílias com as mesmas características. As irmãs gémeas Sophie e Bella eram bem-sucedidas em casa, em parte porque todos eram introvertidos e preferiam a quietude. «Por aqui, todos temos a pulsação mais lenta», dizia Amanda, a mãe das gémeas.

A casa dos Carver era muito diferente. A família dividia-se em metade para cada lado no espectro da personalidade. Suzanne, a mãe, e uma das suas filhas eram ambas extrovertidas, enquanto o seu marido e a outra filha eram introvertidos. Tal como a família de Jenny, os Carver tinham-se esforçado por equilibrar as necessidades destas diferentes personalidades – mesmo os pais. Quando o marido ficava calado, Suzanne costumava ficar apreensiva sobre se ele estaria preocupado. Enquanto Suzanne estava sempre feliz e faladora, o marido precisava daqueles períodos tranquilos de reflexão. A sua filha mais velha, Maria, era tal qual como o pai. Enquanto a mais nova, Gabi, era conversadora como a mãe, sempre em busca de estímulo, diversão e conversa.

Uma das formas que a família procurou usar para que tudo funcionasse bem foi através de uma política de porta aberta. Em muitos dos casos, a regra em casa era que não se podia fechar a porta e manter afastados os outros membros da família. Isto aplicava-se a todos. Mas havia uma condição importante. «Começamos por descrever o que está a acontecer no nosso quarto», explica Suzanne, «por isso, se estivermos a ler tranquilamente, quem quiser pode entrar e ler também tranquilamente, mas não pode entrar e pôr música a tocar ou começar a dançar.»

Isto permitia a Maria (e ao pai) usufruir do necessário tempo de quietude, mas também ensinava à sua pequena irmã uma lição importante. «Uma das coisas que estamos a tentar ensinar a Gabi é que manter um relacionamento não significa estar incessantemente a falar.» O simples facto de estar com alguém, sentado por perto no seu quarto, também conta como tempo de qualidade.

## CÃES E GATOS A BRINCAR PERFEITAMENTE

Portanto, como podem os introvertidos viver para sempre alegremente com as suas famílias? As histórias de Jenny, Maria e outros revelam que isso nem sempre é fácil ou natural. Mas pode ser feito, desde que se sigam estas regras importantes:

COMUNICAR: Pode fechar-se a porta de vez em quando, mas numa família é preciso assegurar que, ao fazê-lo, não estamos a magoar aqueles que amamos. Isto aplica-se também aos irmãos e irmãs mais pequenos que nos aborrecem. À medida que amadureceu, Jenny aprendeu a dizer aos seus pais e à irmã mais nova quando precisava de ficar algum tempo a sós.

## RESPEITA AS NECESSIDADES DOS MEMBROS DA TUA FAMÍLIA: Tal como nós, introvertidos, queremos que os outros respeitem a nossa necessidade de quietude e solidão, temos que compreender que os nossos irmãos ou pais podem ter necessidades opostas. Podemos ter que nos esforçar para conversar quando não o queremos. Todos em casa têm iguais direitos de ver cumpridas as suas necessidades, e isso significa...

## COMPROMISSO: Não importa o quanto tens em comum com cada um dos outros, haverá seguramente numerosas maneiras em que tu e um membro da tua família diferem. Aprender a descobrir o equilíbrio certo entre os teus desejos e os dos teus pais ou irmãos é a chave para conseguir a felicidade em casa. A vida em família, e em todo o lado, é um processo de dar e receber.

## APRECIAR O TEMPO QUE PASSAM JUNTOS: Os membros da tua família são normalmente aqueles com quem podes ser mais sincero e verdadeiro, e o valor desse conforto é enorme. Certifica-te de que estás a reservar este tempo em que podes ser verdadeiramente

tu. (Podes sempre regressar às tuas outras fontes de entretenimento. Elas não vão fugir.)

**PROCURA ALIADOS DA FAMÍLIA:** Se os teus pais ou irmãos não estão a compreender a quem sais, mantém-te em contacto com primos, avós ou amigos da família; outras pessoas mais próximas que se preocupam e simpatizam contigo podem oferecer sugestões.

**ALIVIA A CARGA:** Muitos dos introvertidos sentem-se atraídos para enfrentar os seus desafios em privado. Procura apoio, conforto e amor junto da tua família quando estiveres a passar por dificuldades. Pede ajuda ou um abraço sempre que precisares. É para isso que serve a família!

# CONCLUSÃO

Quando era pequena nunca tinha ouvido falar nos termos *introvertido* e *extrovertido*. Mas gostaria de ter sido conhecedora da ciência e psicologia da personalidade pois assim teria compreendido que aquilo por que estava a passar era normal. Perceberes profundamente quem és e aquilo de que precisas é muito revigorante. Eu mesma experimentei isso na minha vida; amadureci de garota tímida que se esforçava para falar em público para autora de sucesso e mulher de negócios que profere conferências em estádios. O processo de pesquisa para este livro e a audição das histórias de tanta gente jovem só veio reforçar a minha convicção na importância da autoconsciência. Quer sejas introvertido ou extrovertido, espero que as histórias e ideias deste livro te ajudem a entender o teu próprio ser, os teus amigos, a tua família e até aqueles amigos ocasionais de escola com quem te cruzas diariamente nos átrios.

Enquanto fazia pesquisa para este livro, os meus colegas e eu falámos com muitos garotos e adolescentes que nos inspiraram e que refletiram sobre as suas experiências. Um deles foi Ryan, de que te deves lembrar como o tímido ator do Capítulo Treze. Ele partilhou connosco uma série de histórias sobre a sua experiência como intérprete, mas também nos enviou um ensaio que escreveu sobre como compreender a introversão que mudou a sua vida. O ensaio é uma meditação assinalavelmente madura sobre o que é ser um adolescente tranquilo e, por isso, gostaria de partilhar aqui a sua parte final. «Sinto agora que não há receios a acomodarem-se na minha introversão», escreve Ryan. «Não é um segredo para ser oculto ou um defeito para esconder. Já não me prendo ao ideal extrovertido, e isso é muito mais libertador do que eu podia ter imaginado.»

Peter, o estudante do Ohio que se refugiava no tabaco, disse-nos: «Estou habituado a passar tempo sozinho; não tenho vergonha disso. Penso que na realidade isso me preparou para grande número de situações sociais. Muitos dos meus amigos não vão a festas, a não ser que conheçam alguém que vá estar presente, mas eu de qualquer das maneiras não me importo. Sei como desenvencilhar-me sozinho e sinto-me confiante com a minha capacidade de estar ocupado e entretido.» Sinto-me feliz por poder dizer que Peter já não precisa de deixar as festas e fazer pausas para fumar.

Lola, a popular introvertida, faz eco deste sentimento: «Há momentos em que desejava ter sido mais sociável, e quero ser como as outras pessoas. Ao mesmo tempo, prefiro aceitar-me tal como estou a evoluir e não me preocupar sobre como as outras pessoas estão a prosperar nas suas vidas sociais. Só quero continuar a aceitar-me tal como sou.»

Sejas introvertido ou extrovertido, espero que este livro tenha aberto os teus olhos e o teu coração. Eis agora alguns pontos-chave para recordares ao longo da tua viagem pela escola e pela vida:

ACALENTA O TEU SUPERPODER: Durante os teus anos de estudo, quando falar alto e ser afável é frequentemente uma moeda de troca social tão importante, o silêncio pode parecer uma fraqueza. Mas espero que agora entendas que nós, introvertidos, somos uma tribo extremamente poderosa. Podes contar atrizes célebres, cientistas revolucionários, escritores brilhantes, multimilionários, atletas, humoristas e tantos outros indivíduos únicos que fazem parte da tua tribo psicológica. Todas estas pessoas e tantos dos jovens cujas histórias te contei neste livro aprenderam a acalentar as suas forças secretas de introvertidos. Pensamento profundo, concentração intensa, à vontade com a solidão, e excelentes capacidades para escutar.

EXPANDE A TUA ZONA DE CONFORTO: Nunca uses a introversão como desculpa para evitares experimentar algo novo. Quando frequentava a escola básica, nunca sonhei vir a transformar-me numa reconhecida oradora em público. Mas lentamente fui testando os limites da minha zona de conforto; primeiro praticando em pequenos grupos, depois avançando para públicos cada vez mais numerosos. Não importa o que estás a tentar fazer, incito-te a encontrares os teus próprios limites e depois a expandi-los, de forma razoável. Estica o teu elástico interior, mas fá-lo confortavelmente.

**DESCOBRE A ILUMINAÇÃO CERTA:** Alguns de nós podemos desenvolver-nos sob o brilho quente das luzes da ribalta. Na verdade, poderás vir a estar num palco a cantar, dançar ou a representar uma personagem. Para outros a iluminação correta pode ser o brilho do computador portátil enquanto aprendem programação ou uma simples lâmpada que permita ler ou escrever solitariamente. Tens de descobrir o que é confortável para ti. Descobre o teu fascínio – aquilo que te ilumina.

**PERSEGUE ESSAS PAIXÕES:** Nada melhor do que uma causa, um objetivo ou um interesse para te motivar a testares os teus limites. Pode ser um desporto, uma forma de arte ou um desejo inato de arranjar e construir. Há vários anos percebi que a minha missão era escrever e divulgar a Quiet Revolution. Não viajei à volta do mundo a falar perante enormes audiências por gostar de atenção. A razão que me leva a estar lá fora diante de todas aquelas pessoas é acreditar na minha missão; preciso de falar às pessoas sobre o poder da quietude. Descobre a tua paixão, sê verdeiro contigo e as tuas forças, e alcançarás os teus objetivos.

RECARREGA AS BATERIAS: À medida que te aventuras e te pões à prova em situações e ambientes mais favoráveis para extrovertidos, recorda que precisas de calma e tranquilidade. Reserva o tempo para te recuperares e encontra o teu nicho revigorante. Pode ser um passeio ao longo de um rio, um intervalo atrás de uma porta fechada, ou até alguns minutos com os teus olhos fechados e os auriculares colocados a ouvir música enquanto te isolas do resto do mundo. Os aparelhos eletrónicos não funcionam bem com pilhas sem carga. E tu também não.

VALORIZA AS VERDADEIRAS AMIZADES: Um dos aspetos maravilhosos de sermos introvertidos é o de apreciarmos relacionamentos pessoais profundos. Prezamos o tempo passado com um ou dois amigos. Ter alguns verdadeiros amigos é muito mais importante do que enumerar dezenas de amigos virtuais ou alianças incertas. Não te deixes enganar pelas guerras de popularidade. Valoriza e cultiva as tuas relações mais chegadas, e abre-te a descobrir novos amigos em lugares inesperados.

**ASSOCIA-TE AOS TEUS OPOSTOS:** Como introvertidos, podemos aprender muito com os nossos amigos, irmãos e colegas mais expansivos. Eles podem ajudar-nos a crescer como pessoas e a expandir as nossas zonas de conforto. Além do mais, os extrovertidos podem beneficiar com a experiência de um estilo de vida algo mais tranquilo e contemplativo. Podemos forjar amizades ricas e fortes. E quando nos associamos ao serviço de uma causa ou missão, tornamo-nos mutuamente muito mais poderosos, pois as forças de um são compensadas pelas debilidades do outro.

**TEM FÉ EM TI MESMO:** Embora estes possam ser tempos em que parece difícil estar-se tranquilo, mantém-te forte. Recorda que há muitos mais introvertidos como nós por aí do que possas pensar. Cerca de um terço a metade da população é introvertida, o que significa que há muitos mais jovens como tu a tentarem abrir caminho através dos tais átrios caóticos cheios de gente. Como introvertido podes conseguir tudo.

**DESCOBRE A TUA VOZ:** Quero terminar com este excerto de um ensaio universitário de Ben, um introvertido de Massachusetts, sobre como compreendeu os seus modos tranquilos: «Descobrir a minha voz implicou descobrir quem sou. Acredito que à medida

que consigo conhecer-me melhor, sinto-me mais confiante e com isso vem uma voz. Descobrir a minha voz não é só intervir mais nas aulas; é descobrir uma presença e descobrir aquilo que represento e depois dar provas disso. É aprender que nem tudo o que digo tem de ser perfeito ou estar certo... O conforto que eu encontrava nos meus silêncios esvaiu-se. Já não consigo só ouvir ativamente, também tenho que usar a minha voz... Estou a descobrir lentamente o conforto de estar desconfortável e começo a gostar do som da minha própria voz.»

# REVOLUÇÃO TRANQUILA NA SALA DE AULA: UMA PALAVRA FINAL PARA OS PROFESSORES

Pouco depois da publicação do *Silêncio*, recebi uma nota de uma professora da Greenwich Academy, uma escola privada feminina no Connecticut. Ela tinha lido o livro no último verão. Incentivara-a a olhar para muitas das suas alunas através de novas lentes, e decidiu que a sua escola beneficiaria com uma compreensão mais profunda das necessidades das estudantes introvertidas. A professora, a Sr.ª French, também supervisionava um dos diversos grupos de pesquisa da escola. Estas jovens reuniam-se no início do ano letivo, escolhiam um projeto de pesquisa relacionado com a vida da juventude e depois saíam e recolhiam informações sobre o assunto. No início daquele ano letivo, a Sr.ª French sentou-se com um dos seus grupos e perguntou se alguma das raparigas já havia sido encorajada a participar mais nas aulas. As jovens tinham uma mistura de personalidades, mas as mais sossegadas do grupo imediatamente se animaram. Aquela única pergunta provocou uma discussão e as jovens rapidamente começaram a trabalhar para descobrirem mais. Em pouco tempo, decidiram que queriam estudar como era ser introvertida na sua escola.

Durante o semestre de outono, tinham lido excertos do *Silêncio* e visualizado a minha conferência TED, e começaram a planear a sua pesquisa. Em janeiro, conduziram um grupo de referência de professores. Os professores não estavam a par do assunto; mas quando as jovens começaram a perguntar o que era preciso para ser uma estudante bem-sucedida, como é que os professores viam a estudante ideal e outras questões, aqueles aperceberam-se que as jovens estavam extremamente curiosas acerca da participação nas aulas. O grupo de referência rapidamente entrou em discussão aberta, à medida que os professores começaram a fazer as suas perguntas.

Quando ficou claro que as jovens estavam focadas nas estudantes mais reservadas e nas suas experiências na escola, os professores tiveram respostas muito diferentes. Alguns continuaram a insistir que a participação oral era essencial. Outros queriam saber mais sobre a introversão e potencialmente ajustar o seu estilo de ensino. Falaram acerca da possível troca da participação pelo empenhamento, como discutimos no Capítulo Dois, e alguns professores partilharam as estratégias que tinham desenvolvido para as jovens mais caladas. Por exemplo, uma professora experimentou abordar as jovens em privado, dizendo-lhes para se concentrarem na aula seguinte e sugerindo-lhes que preparassem antecipadamente alguma coisa. Desse modo, se ela as chamasse, elas estariam prontas.

Depois do grupo de referência, as jovens enviaram um questionário a cada estudante do ensino secundário, com perguntas semelhantes à do questionário do início deste livro. Descobriram que cerca de um terço das jovens da escola eram introvertidas, em linha com a restante população. Com a ajuda da Sr.ª French, conseguiram que o *Silêncio* fosse colocado na lista de leituras de verão do pessoal docente.

Quando visitei a escola algum tempo depois, fiquei surpreendida com o impressionante nível de consciencialização sobre introvertidos e extrovertidos. A escola de facto não se transformara; ainda prezava os eventos ruidosos e loucos que os extrovertidos preferem. No primeiro dia do ano, por exemplo, a escola organiza uma delirante festa para as novas finalistas, cheia de música, dança e gritaria. Na reunião, pela manhã, cada finalista corre pelo corredor do auditório sob um túnel formado pelos braços esticados das suas pares. Depois sobe ao pódio e grita. Esta tradição ainda se mantinha intacta quando fiz a minha visita. De facto, uma das jovens do grupo de pesquisa, uma extrovertida chamada Madison, não poderia estar mais excitada pela perspetiva de toda aquela loucura. «Até sonhei com isto!», confessou com um sorriso. «Mas uma grande amiga minha, uma completa introvertida, disse: "Não odeio, mas não é a minha praia."»

O que me impressionou foi a forma como a escola começara a considerar tão bem ambos os conjuntos de necessidades. Os professores tinham começado a mudar a sua abordagem à participação de modo a envolver as suas alunas mais reservadas, mas nenhuma destas mudanças fora feita em prejuízo das alunas extrovertidas. Na verdade, ambos os tipos de jovens tinham beneficiado delas. Numa das aulas de Madison, a professora começou a insistir que as raparigas pensassem por um minuto antes de responderam a uma das suas perguntas. Madison admitiu que normalmente estaria ansiosa por dizer alguma coisa de imediato, fosse certa ou errada, mas este tempo adicional obrigava-a a pensar mais cuidadosamente.

Estes tipos de mudanças começaram a suceder em numerosas escolas de todo o país e eu e os meus colegas planeamos disseminar ainda mais esta Revolução Tranquila. Estamos a lançar um programa piloto para escolas que querem «aquietar» os seus currículos e a sua cultura, e gostaríamos imenso de falar sobre isso. Pode encontrar mais pormenores sobre como levar a Quiet Revolution à sua escola no nosso sítio da Internet, Quietrev.com. Por favor, visite-nos – adoraríamos contactar consigo e com a sua escola!

Entretanto, aqui tem três técnicas que deixamos à sua consideração para quando passar de um modelo de participação na aula para um modelo de empenhamento.


## 1. PREZE A TECNOLOGIA

Muita gente preocupa-se que os meios de comunicação *online* possam ser uma espécie de muleta, especialmente para estudantes que não se sentem confortáveis com debates ao vivo, mas de facto eles podem ser uma ponte. Repare-se no exemplo de Michelle Lampinen, uma professora de Inglês do ensino secundário em Freehold, New Jersey. Lampinen experimentou usar o Twitter e debates ao vivo enquanto a turma assistia a filmes baseados em livros que o grupo já lera. Descobriu – como tantos outros professores referem – que os jovens que raramente erguem a mão na aula para uma discussão ao vivo, depressa avançaram com contributos via teclado. Houve um ano em que também pediu a todos os seus alunos para criarem blogues, com dez notas que tivessem escrito ao longo do ano. Também exigiu que os estudantes fizessem comentários inteligentes nos blogues dos seus colegas. Isto não só obrigou os estudantes a lerem e processarem as ideias dos seus colegas, como também incentivou discussões pessoais que não teriam ocorrido sem a intervenção dos meios de comunicação *online*.

## 2. CRIE TEMPO PARA PENSAR!

Jabiz Raisdana, professor do ensino básico em Singapura, acreditava que a participação oral era fundamental. «Caí na rotina de pensar que as pessoas que eram introvertidas ou caladas precisavam de melhorar, por assim dizer», admitiu. Depois, um estudante levou-o a mudar a sua atitude e o seu método: «Tive um estudante ímpar», recorda, «e ele era um surpreendentemente talentoso cineasta e introvertido como nunca vi.»

O rapaz nunca falava na aula. Durante os primeiros dias de aulas, Raisdana procurou encorajá-lo a participar, pedindo-lhe a opinião sobre determinado assunto. Na segunda semana de aulas, o estudante finalmente falou: «Não há nada que eu sinta que deva dizer neste momento», começou, «quando tiver, fá-lo-ei; por isso, até lá, por favor, deixe-me em paz.»

Raisdana não ficou ofendido; ficou preso ao chão. «Estou aqui sentado a pensar: "Este garoto de treze anos embaraçou-me!"» Ora, aquele estudante era – digamos – um pouco direto, e muitos professores provavelmente não seriam compreensivos se alguém se lhes dirigisse daquela forma. No entanto, Raisdana ouviu, porque o rapaz sintetizara perfeitamente o problema essencial. Ele não via qual era a vantagem de falar apenas por falar. E embora o rapaz não erguesse a mão, entregava consistentemente trabalhos ponderados e muito bem escritos. O seu trabalho revelava que escutava e absorvia todas e cada uma das palavras ditas na aula. Era um estudante exemplar. Simplesmente, era muito, muito calado.

O rapaz inspirou Raisdana a repensar a maneira como avaliava a participação. «Apenas porque não estão a dizer nada, não significa que não estejam empenhados na matéria», reconheceu o professor. «Frequentemente são os alunos que estão sempre a falar que querem apenas ouvir-se a si mesmos e na realidade não sabem sobre o que querem falar.» Raisdana descobriu que tinha uma série de alunos introvertidos na sua turma e, por isso, mudou o seu método de ensino. Iniciou as aulas com um tema para discussão, mas em vez de chamar imediatamente os alunos, pedia-

-lhes que escrevessem as suas ideias sobre o assunto. Findo o prazo para escreverem, era dado algum tempo aos jovens para lerem o que os colegas tinham escrito e acrescentarem comentários se tivessem algo a dizer. «Depois partíamos então para a nossa discussão», conta Raisdana. «Os meus alunos já haviam pensado sobre o assunto. Tinham já escrito e lido as opiniões dos outros e desse modo a discussão era preparada.» A combinação de escrita, leitura, comentário e discussão pela turma veio ampliar a voz dos alunos mais reservados. Raisdana não obrigava ninguém a participar durante a discussão aberta, mas muitas vezes os alunos introvertidos participavam na mesma.

É evidente que a introversão não deve ser vista como uma desculpa para permanecer em silêncio. Idealmente, os jovens deviam tentar expandir-se e erguer as mãos de vez em quando; afinal, eles também terão que fazer algo semelhante durante as suas vidas como adultos. Kavan Yee, uma professora do ensino secundário em Washington D. C., era muito sensível às necessidades dos seus alunos silenciosos, mas também acreditava que era importante para eles habituarem-se a estar à vontade a falar na aula. Tal como a professora na Greenwich Academy, em vez de chamar os seus alunos sem aviso prévio, Yee informava-os antes da aula que ia pedir-lhes a sua opinião sobre uma determinada questão. Escolhia as questões que sabia – a partir dos trabalhos ou das conversas em privado com os seus alunos – serem do interesse dos seus estudantes, aumentando assim as suas hipóteses de sucesso.

«Devemos ser capazes de nos sentar no meio de um grupo dos nossos pares e fazer uma apresentação ou articular as nossas ideias», diz Kavan Yee, «mas digo aos estudantes que o processo e o ritmo são com deles.»

## 3. DIVIDA A TURMA EM PEQUENOS GRUPOS DE DISCUSSÃO

Frequentemente, o mesmo estudante que não está à vontade ao dirigir-se a toda a turma, consegue encontrar a sua voz num pequeno grupo ou apenas com um companheiro em quem confia. É por isso que sou uma forte proponente da técnica «Pensar/Associar/Partilhar» descrita no Capítulo Dois. Estas podem ser grandes oportunidades para os jovens extrovertidos da sua turma expressarem as suas ideias.

# UM GUIA PARA OS PAIS

Este é um livro sobre e para os jovens leitores e é acerca deles que fala. Mas suspeito que alguns pais também poderão querer ler em diagonal as suas páginas. Os anos passados na escola podem ser um grande desafio para os introvertidos, tal como para os seus pais. O conselho mais importante que posso avançar é o de ajudarem os vossos filhos introvertidos a confiarem nos seus poderes naturais – como ouvintes, pensadores e tranquilamente trabalhadores determinados. O nosso papel enquanto pais é o de ajudarmos os nossos filhos a crescerem e a explorarem os seus limites, ao mesmo tempo que honram e apreciam quem são de facto. Tal como dizia Eleanor, a mãe de um adolescente introvertido: «Para crianças introvertidas é da máxima importância mostrarmos que somos parte da sua equipa. Elas precisam de mais companheiros de equipa do que qualquer outro adolescente – pessoas que realmente as conheçam.»

Se está interessado em saber mais sobre como acompanhar os seus adolescentes reservados, a Quiet Revolution está a lançar uma série de *master classes* multimédia interativas concebidas expressamente para pais. Estas aulas irão oferecer--lhe as ferramentas parentais de que precisa; o guião para argumentar a favor do seu filho com os professores, amigos e familiares bem-intencionados que comentam os seus modos reservados, e também um fórum *online* para trocar impressões com outros pais de jovens introvertidos. Poderão intercambiar histórias, pedir e receber aconselhamento, e construir uma rede de apoio com pais e mães que se confrontam com os mesmos desafios e as mesmas recompensas por parte dos seus filhos reservados. Se está interessado em saber mais, por favor, sinta-se à vontade para visitar Parenting. quietrev.com.

Entretanto, eis algumas estratégias simples que pode começar a usar desde já:

## ENCORAJE O DOMÍNIO E A AUTOEXPRESSÃO

O valor do domínio e da autoexpressão para qualquer jovem não pode ser sobrevalorizado, mas os jovens introvertidos, em especial, deviam ser encorajados a encontrar uma saída – seja ela no recinto de jogo, no palco ou no laboratório –, uma atividade extracurricular, ou uma simples folha de papel. Os introvertidos têm a tendência de se deixar conduzir pelos seus interesses e paixões, organizando naturalmente as suas vidas em torno das coisas que mais gostam de fazer. Esta é uma grande bênção, porque focarem-se em um ou dois objetivos proporciona-lhes tendencialmente o domínio numa dada área e o domínio forja a autoconfiança, em vez do contrário. Muitos jovens introvertidos também encontram amigos através das suas mútuas paixões, em vez de através da mera socialização. Em nome das suas paixões, alguns jovens acabam mesmo por ascender a posições de liderança que de outro modo nunca sonhariam alcançar.

Como pai, mãe ou educador, uma das melhores coisas que pode fazer é simplesmente sair do caminho. Assegure que o seu filho (ou filha) é exposto a muitos e diferentes assuntos e objetivos – e depois liberte-o. Não espere que as paixões dele sejam de ignição instantânea. Desenvolver e cultivar entusiasmos pode ser o trabalho de uma vida, mas a espera vale a pena.

## AJUDE O SEU FILHO A NAVEGAR NA VIDA SOCIAL

Sejamos realistas, adolescência + vida social podem ser uma via acidentada – e muito mais para jovens introvertidos, que vivem em culturas escolares nas quais ser gregário e expansivo é normalmente a moeda de troca mais valorizada. Como pai ou mãe que gosta dos seus filhos, é provável que esteja disposto e ansioso por ajudar os seus filhos a navegarem nestas águas. No entanto, antes de mergulhar nelas, é bom lembrarmos que pode provavelmente encarar diferentes desafios como pai ou mãe, conforme for também introvertido ou extrovertido.

Se for um introvertido, pode provavelmente identificar-se com facilidade com as experiências do seu filho ou filha, mas senti-las por vezes de forma demasiado indireta. Se esta descrição se encaixa em si, pode precisar de fazer algum trabalho interno próprio – com um amigo, um psicólogo ou com medicamentos – para aprender a amar o seu próprio ego tranquilo e reconhecer que o seu filho é uma pessoa diferente que não está destinada a replicar as mesmas experiências dolorosas que possa ter sentido, no seu caso, durante a sua adolescência.

Pelo contrário, se for um extrovertido, pode ter a vantagem de ser capaz de oferecer ao seu filho um modelo de abordagem despreocupada à vida social. Mas pode ter que se esforçar para se relacionar com as experiências e preocupações íntimas do seu filho. Os pais extrovertidos são frequentemente confundidos pela aparente falta de interesse em festas e outros compromissos sociais por parte dos seus filhos.

O truque é muitas vezes encontrar um meio-termo entre as abordagens «eu trato de tudo» ou «eu não me meto em nada», relativamente à vida social dos seus filhos. Se o seu filho dá sinais de estar em dificuldades ou de querer falar, então sem qualquer dúvida esteja presente para ele; muitas vezes pode ajudar a ensaiar uma situação social difícil à mesa da cozinha na noite antes de o seu filho ter de a desempenhar no refeitório da escola. Mas saiba que psicólogos como Kenneth Rubin, da Universidade de Maryland, descobriram que desde que os jovens tenham um ou dois amigos próximos, têm todas as indicações de que precisam para um futuro feliz. Não precisam em absoluto de fazer parte de um grande e gregário grupo de amigos – mesmo que esse tipo de vida social o tenha feito feliz a si, durante a sua adolescência. Muitos introvertidos formam um pequeno grupo de amizades fortes e leais desde a sua infância até à sua idade adulta. «Recorde que se tiver um amigo verdadeiro, tem mais sorte do que ninguém no mundo, porque é muito difícil ter uma amizade verdadeira», diz a psicóloga Vidisha Patel. «Se tiver esse tal amigo verdadeiro, você está bem, muito bem.»

## PREPARE-SE PARA APRESENTAÇÕES ORAIS

Alguns introvertidos sentem-se à vontade a falar em público. Se o seu filho (ou filha) é um deles, dê-lhe mais poder! Mas se o seu filho (ou filha) é um dos muitos com medo do palco – falar em público é a fobia mais comum do mundo, que tanto aflige introvertidos como extrovertidos – eis algumas maneiras de o ajudar a ultrapassar o problema:

MONITORIZAÇÃO DOS NÍVEIS DE ANSIEDADE: É ótimo pedir ao seu filho (ou filha) para sair da sua zona de conforto, mas ele (ou ela) precisa de fazê-lo entre níveis de ansiedade controláveis. Pergunte-lhe qual é o seu grau de ansiedade numa escala de 1 a 10. O objetivo é estar na gama de 4 a 6. A gama de 7 a 10 está próxima do pânico e comporta um risco demasiado elevado de ser desagradável e contraproducente.

Abaixo de 4 é sinal de que ele (ou ela) pode estar à deriva. A zona de crescimento é entre 4 e 6. Quando ele (ou ela) conseguir dominar uma determinada tarefa nesta zona, poderá com sucesso tentar formas desafiantes de desempenho.

PESQUISA: Incentive os seus filhos a dominarem o assunto que vão apresentar, seja um livro, um tema noticioso ou uma famosa figura histórica. Recorde que o domínio gera confiança e não o contrário!

«BRAINSTORMING»: Dê-lhes um quadro branco, um marcador ou mesmo uma grande folha de papel para escreverem uma lista de factos-chave ou ideias.

DISCUSSÃO: Interrogue o seu filho (ou filha) sobre o tema de forma amigável; ele (ou ela) pode descobrir uma especial área de foco exatamente enquanto conversam, e isto será um pouco como praticar a apresentação do tema em voz alta.

ESBOÇAR E PREPARAR: Seguidamente, o seu filho (ou filha) deve estar preparado para identificar os pontos principais da apresentação, compilar as ajudas visuais apropriadas, se permitidas, e até escrever todo o conteúdo da apresentação se tal for apropriado.

ENSAIAR: Quer use bonecos, brinquedos ou membros da família, assegure que os seus filhos praticam uma apresentação repetidamente em casa ou com um grupo de confiança. Recorde-lhes que devem sorrir e estabelecer contacto visual com diferentes pessoas, e respirar para se relaxarem.

## CULTIVE UM NICHO REVIGORANTE

Dar aos introvertidos o tempo tranquilo de que precisam é a chave para a sua saúde emocional e para o sucesso escolar, descobriu a mãe de uma jovem introvertida chamada Rupal. Quando Rupal andava no jardim de infância, a mãe ia buscá-la à escola todos os dias. E todos os dias ela sorria enquanto saía da escola; mas assim que entrava no carro, ao mínimo problema explodia. A mãe procurava perceber em que é que tinha errado. Teria dado a Rupal a embalagem de sumo errada? Preparado a sanduíche errada? Ter-lhe-ia calçado os sapatos errados? Entretanto, Rupal chorava, gritava e transformava-se numa espécie de minitornado.

Os seus pais não estavam nada habituados a este tipo de comportamento; a sua filha sempre fora agradável. Preocupava-os que Rupal também estivesse a agir da mesma forma na escola, por isso procuraram saber junto da professora como se comportava. Para sua surpresa e alívio, a professora dissera-lhes que Rupal era uma absoluta delícia.

Foi quando a mãe de Rupal se apercebeu do esforço que a filha tinha de fazer diariamente na escola para não se descontrolar e interagir com os colegas e a professora. Ao final do dia, ela estava emocionalmente exausta. Assim que se fechava a porta da *minivan*, ela descarregava tudo sobre a única pessoa que podia: a mãe.

Rupal ultrapassou estas birras, mas a mãe nunca mais as esqueceu. Compreendeu que a filha precisava de tempo para recuperar dos dias longos e de socialização na escola. À medida que cresceu, abandonou as birras temperamentais e adotou um novo mecanismo. Todos os dias vinha para casa da escola e ia diretamente para o seu quarto, quase sem falar à mãe, e lá ficava durante uma hora ou mais, a ler, a ouvir música ou a escrever. Emergia depois revigorada, pronta para interagir. Para a mãe, estes momentos podiam ser dolorosos, mas ela sabia como a sua filha precisava desesperadamente deles.

Como mostra a experiência da mãe de Rupal, estes episódios nem sempre são fáceis. Queremos interagir com os nossos filhos depois da escola; queremos vê-los a interagirem com os seus amigos em atividades extracurriculares. Mas precisamos de ter o cuidado de distinguir as nossas necessidades das deles. Isto não quer dizer que o seu filho introvertido irá passar toda a adolescência sozinho no seu quarto. Mas significa que respeitar a sua necessidade de estar um pouco a sós pode conceder-lhe a pausa de que precisa para passar mais feliz o resto do seu dia, com mais energia, e mais presente e disponível para os que o rodeiam. Os jovens introvertidos «precisam de tempo para descomprimir, fantasiar e não fazer absolutamente nada, independentemente do que possa sair desse nada», diz a psicóloga Elizabeth Mika. «Temos de agendar a fantasia nas suas atividades extracurriculares.»

# AGRADECIMENTOS

Com um enorme e caloroso agradecimento a Gonzo, Sam e Eli, a minha alegria e inspiração diárias; aos meus coautores, Greg Mone e Erica Moroz, sem os quais este livro não poderia existir; à minha sensata e intrépida editora, Lauri Hornik, que viu este livro através de tantas e tão diferentes perspetivas; ao meu extraordinário agente, Richard Pine; à maravilhosa equipa da Penguin: Anton Abrahamsen, Regina Castillo, Christina Colangelo, Rachel Cone-Gorham, Lauren Donovan, Jackie Engel, Felicia Frazier, Carmela Iaria, Jen Loja, Shanta Newlin, Vanessa Robles, Jasmin Rubero, Kristen Tozzo, Irene Vandervoort e Don Weisberg; a Grant Snider, pelas suas graciosas ilustrações; à presidente Renee Coale, por tudo; e, acima de tudo, a todas as muitas pessoas que partilharam as suas histórias e a sua sabedoria nas entrevistas para este livro.

Um agradecimento especial a todas as pessoas talentosas e dedicadas, demasiado numerosas para poderem ser nomeadas, que ajudaram e continuam a ajudar a construir a Quiet Revolution.

Por último mas não menos importante. A todos os jovens silenciosos, adolescentes, pais, cuidadores e educadores que se me dirigiram ao longo dos últimos anos desde que foi publicada a versão adulta do *Silêncio* e que, mais do que ninguém, me inspiraram para escrever este livro.

# NOTAS

**INTRODUÇÃO**

p. 17   **Os introvertidos constituem entre um terço a metade da população:** Rowan Bayne, em *The Myers-Briggs Type Indicator: A Critical Review and Practical Guide* (Londres: Chapman and Hall, 1995).

p. 19   **Carl Jung:** Carl G. Jung, *Psychological Types* (Princeton, NJ: Princeton University Press, 1971; publicado originalmente em alemão como *Psychologische Typen* [Zurique: Rascher Verlag, 1921]), pp. 330-337.

p. 24   **Gandhi:** *Gandhi: An Autobiography: The Story of My Experiments with Truth* (Boston Beacon Press, 1957), pp. 6, 20, 40-41, 59-62, 90-91.

p. 24   **Kareem Abdul-Jabbar:** Kareem Abdul-Jabbar, «20 Things I Wish I'd Known When I Was 30», *Esquire*, 30 abril, 2013. http://www.esquire.com/blogs/news/kareem-things-i-
-wish-i-knew

p. 25   **Beyoncé**: Elisa Lipsky-Karasz, «Beyoncé's Baby Love: The Extended Interview», *Harper's Bazaar*, 11 outubro, 2011. http://www.harpersbazaar.com/celebrity/latest/news/a7436/beyonce-q-and-a-101111/

p. 25   **Emma Watson**: Derek Blasberg, «The Bloom of the Wallflower», *Wonderland*, 5 fevereiro, 2014. http://www.wonderlandmagazine.com/2014/02/the-bloom-of-the-wallflower-by-derek-blasberg/

p. 25   **Misty Copeland:** Rivka Galchen, «An Unlikely Ballerina», *The New Yorker*, 22 setembro, 2014. http://www.newyorker.com/magazine/2014/09/22/unlikely-ballerina.

p. 26   **Albert Einstein:** Walter Isaacson, *Einstein: His Life and Universe* (Nova Iorque: Simon & Schuster, 2007), pp. 4, 12, 17, 22, 31, etc.

## CAPÍTULO UM

p. 37   **Hans Eysenck, estudo com o sumo de limão:** Hans J. Eysenck, *Genius: The Natural History of Creativity* (Nova Iorque: Cambridge University Press, 1995).

p. 38   **Russell Geen:** «Preferred Stimulation Levels in Introverts and Extroverts: Effects on Arousal and Performance», *Journal of Personality and Social Psychology* 46, n.º 6 (1984), pp. 1303-1312. http://psycnet.apa.org/psycinfo/1984-28698-001.

p. 41   **Chelsea Grefe:** Entrevista com a autora.

CAPÍTULO DOIS

p. 53 **Repensar a participação nas aulas:** Os professores não são os únicos que recompensam a participação em voz alta. Estudos sugerem que todos valorizamos altamente os membros mais faladores de um grupo. Um grupo de cientistas decidiu dividir estudantes universitários em grupos e pediu-lhes para resolverem juntos uma série de problemas de Matemática. Enquanto os estudantes trabalhavam na solução, os cientistas observaram-nos. Quando os grupos definiram as suas respostas, os cientistas pediram a cada um em privado para classificarem os outros membros do seu grupo. No seu todo, os estudantes que falavam pronta e frequentemente receberam as classificações mais altas dos seus pares e foram considerados os mais inteligentes – muito embora o desempenho dos faladores não tivesse sido tão positivo nos testes! Cameron Anderson e Gavin J. Kilduff, «Why Do Dominant Personalities Attain Influence in Face-to-Face Groups? The Competence Signaling Effects of Trait Dominance», *Journal of Personality and Social Psychology* 96, n.º 2 (2009), pp. 491-503.

p. 54 **Mary Budd Rowe:** Mary Budd Rowe, «Wait-Time: Slowing Down May Be a Way of Speeding Up», *Journal of Teacher Education* 37, n.º 1 (janeiro, 1986).

p. 55 **Emily**, de uma mensagem de correio eletrónico para a autora em 10 junho, 2013.

p. 59-60 **Liam** é uma amálgama de dois rapazes entrevistados pela autora (o nome foi alterado).

## CAPÍTULO TRÊS

p. 70-71 **Adam Grant:** A. M. Grant, F. Gino, D. A. Hofmann, «Reversing the Extraverted Leadership Advantage: The Role of Employee Proactivity», *Academy of Management Journal* 54, n.º 3 (2011), pp. 528-550.

p. 71 **Jim Collins:** Jim Collins, *Good to Great: Why Some Companies Make the Leap and Others Don't* (Nova Iorque: HarperCollins, 2001).

## CAPÍTULO QUATRO

p. 82-83 **Eileen Fisher:** Da página do Facebook de Eileen (https ://www.facebook.com/EILEENFISHERNY/posts /376227809077218).

p. 83-84 **Eleanor Roosevelt:** Blanche Wiesen Cook, *Eleanor Roosevelt, Volume One: 1884-1933* (Nova Iorque: Viking Penguin, 1992), pp. 125-236. Também, *The American Experience: Eleanor Roosevelt* (Public Broadcasting System, Ambrica Productions, 2000). Ver transcrição: http://pbs.org/wgbh/ amex/eleanor/filmmore/transcript/transcript1.html.

## CAPÍTULO CINCO

p. 110 **Ira Glass:** Kathryn Schulz, «On Air and On Error: This American Life's Ira Glass on Being Wrong», Slate.com, 7 junho, 2010. http://www.slate.com/content/slate/ blogs/thewrongstuff/2010/06/07/on_air_and_on_error _this_american_life_s_ira_glass_on_being_wrong.html

CAPÍTULO SETE

p. 136 **os psicólogos têm vindo a tentar compreender se as pessoas agem da mesma maneira *online* e na vida real:** Sa-
muel D. Gosling, Ph.D., Adam A. Augustine, M.S., Simine
Vazire, Ph.D., Nicholas Holtzman, M.A. e Sam Gaddis,
B.S., «Manifestations of Personality in Online Social Networks: Self-Reported Facebook-Related Behaviors and
Observable Profile Information», *Cyberpsychology, Behav-
ior, and Social Networking* 14, n.º 9 (2011). http://www.
ncbi.nlm.nih.gov/pmc/articles/PMC3180765/pdf/cyber.
2010.0087.pdf

p. 137 **Os cientistas interrogaram 126 estudantes do ensino secundário sobre como se relacionavam uns com os outros:**
«Friending, IMing, and Hanging Out Face-to-Face: Over-
lap in Adolescents' Online and Offline Social Networks»,
S. M. Reich, K. Subrahmanyam, G. Espinoza, *Dev Psychol*,
n.º 2 (março, 2012), pp. 356-368. http://www.ncbi.nlm.
nih.gov/pubmed/22369341.

p. 138 **Aimee Yermish:** Entrevista com a autora.

p. 140 **aqueles que tinham maior número de amigos estavam
frequentemente mais felizes com as suas vidas:** A. M.
Manago, T. Taylor, P. M. Greenfield, «Me and My 400
Friends: the Anatomy of College Students' Facebook Networks, Their Communication Patterns, and Well-Being»,
*Dev Psychol*, Epub (30 Janeiro, 2012). http://www.ncbi.
nlm.nih.gov/pubmed/22288367.

CAPÍTULO OITO

**Steve Wozniak:** A história de Stephen Wozniak ao longo deste capítulo foi maioritariamente retirada da sua autobiografia, *iWoz* (Nova Iorque: W. W. Norton, 2006). A descrição de Woz como sendo o cromo da Apple provém de http://valleywag.gawker.com/220602/wozniak-jobs-design-role-overstated.

p. 156-157 **uma psicóloga chamada Avril Thorne preparou uma experiência**: Avril Thorne, «The Press of Personality: A Study of Conversations Between Introverts and Extraverts», *Journal of Personality and Social Psychology* 53, n.º 4 (1987), pp. 718-726.

CAPÍTULO NOVE

p. 166 Entrevista de J. K. Rowling por Shelagh Rogers e Lauren McCormick, Canadian Broadcasting Corp., 26 outubro, 2000.

p. 167 **John Green:** «Thoughts from Places: The Tour», Nerdfighteria Wiki, 17 janeiro, 2012.

p. 171 **Pete Docter:** Jen Lacey, «Inside Out, Buzz Lightyear and the Introverted Director, Pete Docter», ABC.net, 17 junho, 2015. http://blogs.abc.net.au/nsw/2015/06/pixar--director-pete-docter-.html. Também, Michael O' Sullivan, «"Up" Director Finds Escape in Reality», *The Washington Post*, 29 maio, 2009. http://www.washingtonpost.com/wp-dyn/content/article/2009/05/28/AR2009052801064.html

p. 172   **Conrad Tao:** Justin Davidson, «The Vulnerable Age», *The New York*, 25 março, 2012. http://nymag.com/arts/classi-caldance/classical/profiles/conrad-tao-2012-4/

p. 173   **Mihaly Csikszentmihalyi:** Mihaly Csikszentmihalyi, *Creativity: Flow and the Psychology of Discovery and Invention* (Nova Iorque: Harper Perennial, 2013), p.177.

## CAPÍTULO DEZ

p. 186   **Alan Goldberg:** Entrevista com a autora, 24 julho, 2013.

p. 187   **Washington Nationals:** Thomas Boswell, «Washington Nationals Have Right Personality to Handle the Long Grind of a Regular Season», *The Washington Post,* 17 fevereiro, 2013. https://www.washingtonpost.com/sports/nationals/washington-nationals-have-right-personality-to-handle-the-long-grind-of-a-regular-season/2013/02/17/fd77dfae-793f-11e2-82e8-61a46c2cde3d_story.html.

## CAPÍTULO ONZE

p. 195-198 **Jessica Watson:** Jessica Watson, *True Spirit: The True Story of a 16-Year-Old Australian Who Sailed Solo, Nonstop, and Unassisted Around the World* (Nova Iorque: Atria Books, 2010). Sítio da Internet, http://www.jessicawatson.com.au/about-jessica.

p. 199   **investigadores observaram introvertidos e extrovertidos que ganhavam prémios de jogo:** Michael X. Cohen *et al.*, «Individual Differences in Extroversion and Dopamine

Genetics Predict Neural Reward Responses», *Cognitive Brain Research* 25 (2005), pp. 851-861.

p. 200-201 **Breivik examinou as personalidades dos membros de uma expedição norueguesa de 1985 ao monte Evereste:** Entrevista com a autora, 16 janeiro, 2014. Também, G. Breivik, «Personality, Sensation Seeking and Risk Taking Among Everest Climbers», *International Journal of Sport Psychology* 27, n.º 3 (1996), pp. 308–320.

p. 201-203 **Charles Darwin:** A matéria sobre Darwin foi recolhida em http://darwin-online.org.uk/content/frameset?view type=text&itemID=F1497&pageseq=1, e Charles Darwin, *Voyage of the Beagle* (Nova Iorque: Penguin Classics, Abridged edition, 1989).

## CAPÍTULO DOZE

p. 211-213 **Rosa Parks:** *Rosa Parks: A Life* (Nova Iorque: Penguin, 2000).

## CAPÍTULO TREZE

p. 232 **Steve Martin:** Steve Hinds, «Steve Martin: Wild and Crazy Introvert», www.quietrev.com, http://www.quietrev.com/steve-martin-wild-and-crazy-introvert/

p. 233 **Emma Watson:** Tavi Gevinson, «I Want It to Be Worth It: An Interview With Emma Watson», *Rookie*, 27 maio, 2013. http://www.rookiemag.com/2013/05/emma-watson-interview/

p. 235 **Teoria do Traço Livre:** Para uma panorâmica da Teoria do Traço Livre, ver Brian R. Little, «Free Traits, Personal Projects, and Idio-Tapes: Three Tiers for Personality Psychology», *Psychological Inquiry 7*, n.º 4 (1996), pp. 340 344.

**Brian Little:** As histórias sobre Brian Little ao longo deste capítulo provêm de numerosas entrevistas por telefone e por correio eletrónico com a autora entre 2006 e 2010.


CAPÍTULO CATORZE

p. 247 **Nicho Revigorante:** Brian Little, «Free Traits and Personal Contexts: Expanding a Social Ecological Model of Well--Being», em *Person Environment Psychology: New Directions and Perspectives*, editado por W. Bruce Walsh *et al.* (Mahwah, NJ: Lawrence Erlbaum Associates, 2000).

p. 251 **Os cientistas descobriram que o desejo de solidão era reprovado pelos alunos do oitavo ano:** Jennifer M. Wang, Kenneth H. Rubin, Brett Laursen, Cathryn Booth-LaForce Linda Rose-Krasnor, «Preference-for-Solitude and Adjustment Difficulties in Early and Late Adolescence», *Journal of Clinical Child & Adolescent Psychology* 0 (0) (2013): 1–9, 2013. http://www.academia.edu/3630522/Preference-for--Solitude_and_Adjustment_Difficulties_in_Early_and_Late_Adolescence

# ÍNDICE REMISSIVO

# A AUTORA

Susan Cain prefere escutar a falar, ler a socializar, e conversas íntimas a cenários de grupo. Gosta de pensar antes de falar. Sonha alto e tem objetivos audaciosos, e não vê contradição entre isto e a sua natureza tranquila.

Formada pela Universidade de Princeton e pela Harvard Law School, Cain é a cofundadora de Quiet Revolution e a autora do *bestseller* da lista do *The New York Times*, *Silêncio*, que foi traduzido para quarenta idiomas e ultrapassou quatro anos de permanência na lista de *bestsellers*. Uma das suas conferências TED teve mais de doze milhões de visualizações. Foi galardoada com o Harvard Law School's Celebration Award for Thought Leadership, o Toastmasters International Golden Gavel Award, e foi nomeada uma das cinquenta maiores especialistas em liderança e gestão pela revista *Inc.* Vive em Hudson River Valley com o marido e dois filhos.